Une nouvelle indé
la série de fiction h
Troubadours.
Historical Novel S‹
Lauréat du Global Ebooks Award for Best
Historical Fiction ; Finaliste des Wishing Shelf
Awards et des Chaucer Awards

« *Une parabole qui parlera au cœur des amis des animaux dans le monde entier.* »
5* par Emily-Jane Hills Orford pour *Readers' Favorite*

« *Idéal pour les adeptes de fiction historique et ceux qui cherchent une lecture divertissante.* »
Bytheletter Book Reviews Blog

« *Une histoire fascinante de loyauté canine et de trahison humaine. Pour tous ceux qui n'ont pas encore lu Les Troubadours, voici une excellente introduction à la saga, qui vous donnera un avant-goût. Une fois que vous y aurez goûté, vous aurez certainement envie de continuer ! Comme toujours avec les romans historiques de Gill, en lisant l'histoire de Nici on en apprend beaucoup sur la façon dont les hommes – et les chiens ! – vivaient dans l'ancien temps. On trouve des détails passionnants sur le métier de berger et la confection du fromage (par exemple), décrits du point de vue d'un chien, perspective très intéressante.* »
Paul Trembling, artiste

Nici garde
ses
moutons

LES TROUBADOURS
NOUVELLE

1157: AQUITAINE

JEAN GILL

Traduit de l'anglais par
Laure Valentin

© Jean Gill 2020
The 13th Sign
ISBN 979-10-96459-15-5

Publié pour la première fois en version originale en 2011.

Conception de la couverture par Jessica Bell
Images © LadyMary, Gordana Sermek, Jean Gill

À Sherlock et Watson,
mes chiens de la seconde chance

CHAPITRE UN

La neige s'engouffrait dans la bergerie par chaque interstice de la porte en bois, des murs de pierre et des tuiles du toit, saupoudrant les enclos de blanc. Les bêtes se massaient en quête de chaleur, leur toison laineuse formant des boucles là où les flocons humides s'y déposaient. Ce n'était pas la faute des seigneurs de Breyault si leurs moutons avaient froid ce soir-là, car un vent aussi violent s'infiltrait par les fissures les plus infimes des plus solides bâtisses.

L'inattention des humains était bien compréhensible. Non seulement c'était la veille de Noël, mais c'était également la longue nuit des douleurs naturelles d'une femme. Le vent hurlait pour la dame du domaine, et toute la maisonnée retenait son souffle.

Dans la bergerie, parmi les bêlements de leurs compagnons, trois chiens de montagne faisaient les cent pas, troublés par des menaces contre lesquelles ils ne pouvaient rien faire d'autre qu'attendre. La tempête passerait. L'un d'eux avait connu pire, comme il l'exprimait de sa voix rocailleuse.

— Ne craignons ni le loup ni l'ours quand le vent blanc sème le chaos, grondait Nici afin de rassurer sa meute.

En réalité, un loup ou un ours auraient encore été des adversaires plus commodes que cette longue attente, à sursauter au moindre bruit.

— Tu fais peur aux moutons, Nici.

C'était la chienne, Peldolce, qui lui répondait, depuis le coin d'un enclos jonché de paille où un tas de chiots se pelotonnait dans sa chaleur. Leur fourrure crème se mêlait si bien aux toisons jaunies alentour qu'un œil peu avisé n'aurait pas perçu la différence à moins que leur protecteur ne montre les crocs. En montagne, lors des nuits obscures, de nombreux loups et ours avaient commis cette erreur et l'avaient payée de leur vie. Les ours étaient seulement poursuivis par les chiens, mais les loups, eux, étaient tués.

— Quelles créatures idiotes ! répondit le dénommé Nici, dont le nom signifiait « stupide » dans la langue d'Aquitaine où ils vivaient.

Fut un temps où on le prenait, lui aussi, pour un animal idiot. Bien sûr, personne ne lui en fit la remarque.

— Pas devant les chiots, Nici, susurra sa compagne plus qu'elle ne le gronda. Ce sera leur travail, un jour, si nous les élevons convenablement.

Nici interrompit ses va-et-vient pour jeter un œil au monticule de fourrure assoupie.

— Peut-être, concéda-t-il plus posément.

Par réflexe, les deux autres chiens avaient formé un triangle avec Nici lorsqu'il s'était immobilisé, orientés vers l'extérieur afin de réagir aux éventuels dangers. Ils s'étaient si souvent protégés les uns les autres l'été dans les collines, à la belle étoile, que cette habitude perdurait en hiver, même s'ils n'avaient rien à craindre dans la grange soigneusement verrouillée.

Alors qu'ils montaient la garde, la grande porte en bois fut ébranlée. Une ombre se profila dans l'embrasure. Une ombre humaine, étrangement longue et brouillée par les bourrasques de neige horizontales.

— Nici, gronda le chien le plus proche de la porte, d'une voix basse et insistante.

— J'ai vu.

Un chiot glapit en s'éveillant, manifestant sa faim, mais on le fit taire aussitôt.

Lentement, la clef tourna dans la serrure, puis le battant s'ouvrit à la volée, laissant entrer l'inconnu dans la bergerie. La neige qui l'accompagnait s'accumula rapidement à ses pieds et il trébucha pour atterrir sur le sol, son énorme clef en fer à la main. Il partit d'un petit rire comme si trois mâchoires aux crocs menaçants ne représentaient pour lui qu'un jeu familier. Quatre, à vrai dire, car la chienne s'était levée, repoussant ses petits, prête à les défendre jusqu'à la mort.

Mais il n'y avait là aucun danger.

— Musca ! Tu ne devrais pas être ici ! gronda Nici en aidant le garçon à se redresser, d'un coup de museau aussi attentionné que ferme.

Un gloussement lui répondit, mais quand les chiens unirent leurs forces pour refermer la porte, Musca comprit ce qu'ils voulaient et tourna à nouveau la clef dans la serrure.

À présent, tous les chiots étaient réveillés et Musca se glissa sous la barrière en bois pour les rejoindre dans l'enclos, à même la paille. Ils étaient encore assez petits, et lui assez grand, pour qu'il se contente de ramasser chaque paquet remuant, d'en chatouiller le ventre et de le laisser retourner auprès de ses frères et sœurs pour d'autres jeux plus dynamiques.

— Je n'arrivais pas à dormir, expliqua-t-il aux animaux environnants, comme s'ils comprenaient chaque mot. Maman et papa ont dit que Raoulf me surveillerait, que je ne devais déranger personne et que je ne devais pas faire attention à ce que je pourrais entendre, que tout serait formidable demain, puisque c'est le jour de Noël. Mais Raoulf a été rappelé par les hommes parce qu'il ne faut pas déranger papa et qu'il croyait que je dormais. Mais je ne dormais pas. Comme j'avais peur du vent, je suis venu ici. Si j'avais sept ans, je n'aurais pas peur parce qu'alors je serais un homme et j'aurais mon arc à moi. Mais j'ai encore six ans et j'aimerais que tu puisses me dire ce qu'il se passe.

Musca jeta ses bras autour du cou de Nici et se coucha à moitié sur son dos, comme il le faisait depuis qu'il savait trottiner.

En d'autres circonstances, Nici aurait raccompagné Musca dans son lit. Il était presque minuit et un petit garçon, *son* petit garçon, n'avait rien à faire dans la bergerie. Pourtant ce soir était différent et c'était encore l'abri le plus sûr pour Musca en attendant que le travail, quelle qu'en soit l'issue, se termine au château et que l'on vienne le chercher.

Nici réprima un gémissement de frustration. Il devrait être auprès de sa maîtresse, lui aussi, et non exclu comme son fils, le garçonnet à côté de lui.

Il était sur le point de se remettre à faire les cent pas et à effaroucher les moutons quand un chiot encore engourdi par le sommeil approcha en se dandinant.

— Papa, raconte-nous une histoire.

Avant que Nici puisse refuser tout de go, deux chiots se balançaient par les crocs à son menton tandis que leurs frères et sœurs se joignaient en chœur au refrain :

— Une histoire, une histoire, une histoire !

Avec délicatesse, Nici reposa les deux chenapans sur la paille avant de s'allonger, accordant à ses rejetons un contact plus tendre.

— Attention aux crocs, leur rappela-t-il en

s'appuyant contre la mangeoire en bois qui séparait la grange en deux.

Dieu seul savait comment Peldolce supportait de les allaiter. Ce n'était pas toujours facile.

— Raconte-nous la fois où le sang a coulé dans la sombre forêt, lança Reymarca.

Le chiot au front laiteux orné d'une couronne de fourrure beige glapit lorsque son frère lui donna un petit coup de dents.

— Aïe ! s'écria-t-il avant de lui sauter dessus.

— Les garçons ! avertit Nici.

— Raconte les câlins dans le fossé.

— Le vilain berger.

— Le moment où tu as su, demanda un autre chiot à l'âme romantique.

— Les bonnes histoires commencent par le commencement, déclara résolument Nici.

— Et c'est la meilleure des histoires, aboya Peldolce en s'allongeant à côté de son compagnon, réchauffant une partie des petits.

Musca se faufila parmi les fourrures crème, évitant les griffes et les petites dents pointues, se nicha parmi elles et ferma les yeux. Les jappements, aboiements, couinements et grondements retentissaient entre les murs, maintenant à distance la tempête et ses peurs. La douce odeur de paille des chiots se mêlait à la laine humide, lui rappelant le petit-lait médicinal que lui donnait sa mère lors des rhumes hivernaux.

Il avait le ventre noué. On ne l'avait pas

autorisé à aller voir sa mère ce soir et l'enfant pouvait bien chaparder un peu de bien-être sans que personne ne le sache. Il passa une main dans la fourrure de Nici, rêche, et pourtant plus réconfortante que le pelage soyeux des petits. Son autre main trouva le chemin de sa bouche, et en suçant son pouce, les yeux clos, il écouta la voix caverneuse de son grand protecteur, le chien qui était son ami d'aussi loin qu'il s'en souvienne.

CHAPITRE DEUX

— Je suis né dans une bergerie comme celle-ci, commença Nici.

— Le vent hurlait comme un monstre, ajouta un chiot, apportant sa pierre à l'édifice. Et la neige montait aussi haut que les murs du château…

— Trop tôt pour la naissance des agneaux.

— Et trop tard pour nourrir les brebis, ajoutèrent deux voix aiguës.

— Assurément, acquiesça Nici tandis que les autres faisaient taire les aspirants conteurs.

— Je suis né sur une terre de bruyère et de moutons, de grottes et de fromage bleu, quelque part dans le fief de Carcassonne. Et je suis né pour devenir un pastou, un gardien de moutons. Je connaissais la paille qui chatouille le museau et les douces langues de mes compagnons de ferme, frères et sœurs, chèvres et brebis. J'ai connu la langue râpeuse de ma mère, aussi, bien que je n'aie jamais connu celle de mon père. Son cœur s'est arrêté avant ma naissance, et désormais il fait partie de la montagne et de la rivière, comme me l'a raconté ma mère en me nettoyant les oreilles.

Le vent avait trouvé une lézarde en zigzag dans la pierre et poussait à présent un sifflement lugubre au travers. Les brebis piétinaient la paille, mâchonnant le fourrage dans les mangeoires tout en cherchant à atteindre le milieu. La pitance y était meilleure, peut-être, à moins que chacune se contente de suivre le mouvement des autres. Il avait beau connaître ces bêtes depuis toujours, Nici ne comprendrait jamais les mœurs moutonnières. Cependant, il était né parmi elles et leur odeur composait son histoire.

— Je ne crois pas que tu aies déjà été jeune comme nous, lança un petit rebelle en se redressant pour regarder son père au niveau du menton.

— J'étais plus semblable à vous que tu ne le penses, répondit Nici en donnant une tape à son double minuscule avant de poursuivre. Notre berger, Pastor Jehan, nous donnait à manger et à boire à l'écart du troupeau pour que les bêtes ne chapardent pas notre pain ni notre eau.

Il jeta un œil vers Peldolce, soucieux de la censure qu'elle pourrait apporter quant aux défauts des moutons. Pour devenir de bons pastous, toutefois, les chiots devraient connaître la vérité au sujet des bêtes qu'il leur incomberait de surveiller.

Regardant Peldolce sans sourciller, Nici ajouta :

— Et heureusement que nous pouvions jouer dans notre propre enclos avant d'apprendre les bonnes manières.

À ces mots, il darda sur ses fils un regard grave.

— Je connais un chiot qui a quitté son enclos et s'est montré si malpoli que le bélier lui a foncé dessus ! Même après que ses bleus eurent guéri, ce chiot resta si apeuré qu'il ne put jamais faire son travail.

Neuf petits corps velus se blottirent davantage contre les flancs protecteurs des chiens adultes, à l'écart des cornes et des sabots ovins.

« Quand nous fûmes assez grands, notre mère nous présenta au bélier. Une fois qu'il nous eut reniflés, nous étions acceptés. Mais le bélier n'est pas le chef de la meute de moutons. Pastor Jehan connaissait son bétail et il donnait un supplément de sel aux brebis qu'il choisissait soigneusement.

L'une d'elles eut l'honneur de prendre la tête du troupeau. Il lui donna du pain pour l'amadouer et accrocha une cloche autour de son cou. Elle était toujours la première à sortir de la bergerie par beau temps, mais elle restait à l'intérieur si elle sentait l'orage arriver. Pastor Jehan la surveillait la nuit. Si elle agitait sa toison et faisait sonner sa cloche, il ferait froid le lendemain. Il avait de nombreuses astuces de ce genre pour prédire le temps. Les humains n'ont aucun sens de l'odorat et ne peuvent pas sentir ce que le vent charrie, c'est pourquoi ils observent les créatures plus avisées.

Quand on nous présenta à la meneuse, la sonnaillère, elle baissa ses cornes, tapa du sabot, et nous battîmes en retraite dans notre enclos. Mère essaya de nouveau le jour suivant, et celui d'après. Chaque fois, la sonnaillère était un peu moins intimidante jusqu'à ce qu'enfin, elle consente à nous renifler. Elle me laissa lécher son visage et tout le troupeau comprit que nous étions leurs pastous.

À partir de ce jour, nous apprîmes les habitudes de Pastor Jehan et son troupeau. Par les froides matinées d'hiver, quand il se levait tard, il partageait sa soupe avec nous. En été, à l'aube, il nous donnait du pain tiré de son panier d'osier, dans les pâturages où paissaient les brebis. Il attribuait des tâches à chaque saison, y compris mon initiation à l'âge adulte.

— L'heure est venue, me dit-il, entaillant l'oreille d'une brebis jusqu'à ce que des gouttes de sang viennent attiser mes envies de morsure.

Je pris l'oreille entre mes crocs.

— Bon chien, constata Pastor Jehan.

Je me gardai de mordre.

— Bon chien, répéta-t-il. Fais venir le mouton. Amène-le-moi.

J'avais déjà vu ma mère prendre une brebis

par l'oreille pour l'entraîner en lieu sûr et je suivis son exemple, excité par le goût du sang dans ma gueule.

Pastor Jehan était ravi. Il me donna du sel et me couvrit de compliments.

— Dorénavant, tu ne toucheras jamais un mouton si ce n'est par l'oreille, me dit-il.

Dès lors, je lui obéis. Si les moutons étaient vivants.

Dans le cas d'une bête morte, il en allait autrement, et bientôt, j'appris à distinguer les deux états. Les brebis mortes, j'avais le droit de les manger.

— Trois jours, disait Pastor Jehan, mais je me fiais à l'odeur.

D'abord, les autres chiots de ma portée apprirent avec moi, mais ensuite, différents bergers nous rendirent visite et, l'un après l'autre, ils partirent tous vers de nouvelles pâtures. Lorsqu'il ne resta plus que mère et moi, Pastor Jehan sortit la corde de son panier et m'attacha à un arbre pendant une courte période. Chaque jour, il rallongeait la laisse, « pour que j'en prenne l'habitude ». J'avais horreur de cette restriction, mais j'avais vu mère attachée de la sorte, par moments, et elle l'acceptait. Tout comme je le fis.

Parfois, Pastor Jehan me faisait marcher auprès de lui, toujours en laisse, décrivant un grand cercle autour du troupeau. Quand j'aboyais, il me complimentait. Il m'ordonnait de me coucher, puis il croisait mes pattes de devant.

Je les décroisais. Il les croisait à nouveau. Je les décroisais. En soupirant, il les croisait une troisième fois.

— Ne sois pas un vilain chien, me réprimandait-il.

Alors, je laissais mes pattes croisées et il en était heureux.

— Maintenant, tu sais comment rester sage et assurer la garde du troupeau.

Chaque saison avait son rythme et ses dangers. En mars, Pastor Jehan passa deux jours à jeûner et à prier avant de couper les petites queues et les bourses des agneaux de janvier.

— Une longueur de trois doigts exactement, dit-il en écourtant une queue avec son couteau tranchant.

Ensuite, nous festoyâmes.

Nous étudiâmes la météorologie, afin de savoir quand sortir aux pâturages et quand rester à l'abri.

— Coucher rougeoyant annonce le beau temps… et fait la joie du berger, disait Pastor Jehan.

En revanche, si le ciel était rougeoyant au matin et la sonnaillère réticente à quitter la grange, c'était une journée à couvert. Les moutons ont horreur de la pluie.

En juin, on faisait appel au tondeur et les bêtes bondissaient de joie en sentant l'air sur leur peau nue. Je demandai à mère pourquoi nous devions supporter notre lourde fourrure dans la chaleur estivale.

— Pour nous protéger, me dit-elle.

Elle avait raison. Après la tonte, Pastor Jehan cherchait l'ombre pour son troupeau, redoutant l'ardeur du soleil.

Nous passions les étés en altitude dans les pâtures, sans rentrer à la ferme en fin de journée. C'était là que commençait réellement notre travail, à mère et à moi, attentifs aux prédateurs tandis que Pastor Jehan dormait dans sa cabane. Il restait avec nous, se levait tôt et trayait toujours les brebis deux fois par jour.

Au cours de ma première année, mère m'apprit le rôle du pastou. Nous marquions notre territoire sur les arbres et les buissons, aussi haut que possible afin d'impressionner par notre gabarit. Nous aboyions à pleins poumons :

— Pas de loups, d'ours, de renards ni de chiens ! Pas d'étrangers ! Défense d'approcher.

Et la nuit, nous veillions sur le troupeau, au cas où nos avertissements n'aient pas suffi. Nous étions prêts à affronter tous les intrus.

Pastor Jehan nous traitait comme il traitait les petits bergers et les petites bergères qui couraient à côté du bétail, regroupant les retardataires pendant que nous ouvrions la voie, la queue bien haute et recourbée comme la houlette de mon maître. Il nous houspillait en cas d'erreur et jetait de la terre, avec l'arrondi de son bâton, pour remettre les brebis dans le droit chemin, mais jamais il n'était cruel. »

༺❀༻

CHAPITRE TROIS

« Ensemble, mère et moi étions invincibles. Comme j'aurais aimé qu'elle soit à mes côtés lorsque j'affrontai les loups de Montbrun. Mais laissez-moi encore savourer le souvenir des temps heureux avant le récit des moments plus difficiles.

En automne, nous emmenions le troupeau paître les tiges rases laissées par la moisson, tour à tour du blé et de l'avoine. Nous l'accompagnions dans les champs afin que la récolte de l'année suivante bénéficie du fumier laissé par les moutons dans un cycle perpétuel où rien n'était jamais gâché. L'automne était aussi la période de la pluie et des loups affamés, si bien que Pastor Jehan restait sur ses gardes, tout comme nous. Il bloquait les cloches des brebis afin que les loups ne sachent pas où se cacher dans le bois pour une attaque-surprise.

Mais l'automne était surtout une époque fertile. Après les saillies de septembre, les brebis qui portaient des agneaux devaient être traitées avec douceur. Les maladies se soignaient par une diète au chou ou se soldaient par la mort, car les humeurs étaient trop moites en automne pour que l'on risque un traitement médical sur les futures mères.

Au cours de mon deuxième hiver, il me poussa une crinière dense et, une fois de plus, Pastor Jehan me dit :

— Il est temps.

Ce soir-là, il travailla jusque tard dans la soirée sur un cerceau de fer percé de trous. Dans chacun d'eux, il enfonça des clous à tête plate. Il ajusta le collier autour de mon cou, hérissé de piques tournées vers l'extérieur. Chaque fois que nous allions aux champs, je portais mon collier, mais aucun loup ne vint tester ses clous pointus. Ma mère et moi aboyions. Deux pastous donnant de la voix suffisaient à garder les loups à bonne distance et, au mois de janvier, ils étaient trop occupés à leurs propres affaires pour se soucier de nous. Les échos de leurs parades nuptiales résonnaient dans les collines.

Pastor Jehan aimait son métier et je croyais qu'il nous aimait, nous aussi. Pourtant, de même qu'il séparait ses moutons selon qu'ils donnaient de la laine et de la viande – ceux qui restaient et ceux qui partaient –, il nous sépara, mère et moi : elle resta et je partis. Je ne lui garde pas rancœur, car aucun autre humain n'aurait su me conduire dans l'âge adulte avec plus d'attention.

Et les enseignements de mère étaient inestimables. Tous deux allaient me manquer.

Ce que j'ignorais, à l'époque, c'était qu'à l'instar de la plupart des hommes bons, Pastor Jehan ne voyait pas le mal chez les autres. Quand il vit Malabric, il ne vit qu'un berger, et aux yeux de Pastor Jehan, c'était une vocation ancestrale, sacrée et hautement respectable.

Un berger ne fréquentait pas les tavernes, les bordels ni les tripots. Comme seuls passe-temps, il jouait à la marelle ou à la crosse, jamais aux dés. Sa vie au grand air était l'hymne à la nature qui convenait aux cœurs purs.

Voilà une description fidèle à la personne de Malabric, si ce n'est que chez lui, chaque trait positif devenait négatif, et que son cœur était aussi noir que le charbon. Malgré cela, son apparence était identique à celle de Pastor Jehan, depuis sa blouse et ses culottes en toile, sous sa cape cirée, jusqu'à ses guêtres en cuir découpées dans de vieilles bottes hors d'usage. Il portait la ceinture de corde tressée caractéristique, où étaient suspendus onguents, couteau, poinçon, étui à aiguilles et ciseaux.

Son chapeau de feutre noir était doublé à l'avant et à l'arrière, ce qui, comme je l'appris par la suite, lui permettait de voler son maître. Comme Pastor Jehan, il fourrait des brins de laine dans la doublure, mais les siens, il les chapardait chaque fois qu'il en avait l'occasion pour garnir son propre couchage. Pastor Jehan ne tondait un mouton qu'en cas de cicatrice ou autres infections qui exigent que l'on retire la toison autour de la blessure pour favoriser la guérison. La précieuse laine était alors conservée et rendue dans son intégralité, sans faute et jusqu'au dernier brin, au seigneur de Pastor Jehan.

Pourquoi m'appesantis-je dans de tels détails au sujet de ce mauvais berger dont le seul nom m'écorche la bouche ? Parce que Malabric revint du marché avec Pastor Jehan, qui venait d'acheter un nouveau bélier et m'apprit en souriant que le prix de la bête équivalait douze brebis d'élevage et un jeune pastou : moi. »

— Le mauvais berger, jappèrent les chiots d'une voix haut perchée.

Reymarca commença à courir après sa queue.

— Le mauvais berger, acquiesça Nici.

Son grondement parcourut ses jeunes auditeurs, ébranlant jusqu'à la terre sous leurs pattes.

Il cracha son nom comme un poison :

— Malabric. Indigne du noble nom de pastor.

Tous les chiots imitèrent Nici, crachant par solidarité de meute :

— Malabric.

Les autres chiens se levèrent pour monter la garde, les yeux brillants – la compagne de Nici et deux de leurs enfants déjà adultes, liés jusqu'à la mort.

— Malabric m'arracha à mon foyer, tandis que je m'échinais contre la corde pour revoir mère. Mais elle était enfermée dans la grange avec les moutons. J'essayai de rassurer mon petit troupeau, mais j'avais tant de questions. Qui était mon nouveau maître ? Où allions-nous ?

— Malabric, grondèrent les chiots.

À côté d'eux, des moutons bêlèrent en s'éloignant du danger. Mais moutons qu'ils étaient, ils oublièrent en quelques secondes la raison de leur émoi.

Nici secoua sa grande tête. Il devait apprendre à ses chiots à protéger ces créatures sottes, or ce n'était pas chose aisée. Il puisait sa force de sa meute. Chaque chien avait une histoire à raconter, et telle était la sienne, pour le meilleur et pour le pire. Cette partie, en l'occurrence, était le pire.

CHAPITRE QUATRE

« Malabric connaissait peu son propre métier, sans parler du nôtre. Il avait approuvé docilement tous les conseils de Pastor, pour les balayer ensuite comme de la poussière. Il me traita comme n'importe quel outil.

En chemin vers mon nouveau domaine de Montbrun, j'en vins à haïr la corde dont il se servait parfois pour me frapper, quand je ne comprenais pas ce qu'il voulait, et parfois pour s'assurer que je ne m'éloigne pas. Comme si je pouvais laisser ces pauvres moutons avec lui ! Il ignora mes avertissements, mais j'étais trop bien éduqué pour le mordre, me contentant d'esquiver la laisse dans la mesure du possible. Si j'avais su ce qui m'attendait, je ne me serais pas retenu.

Quelle marche c'eût été avec un autre berger. Un homme qui m'eût parlé tout en cheminant, qui m'eût partagé ses rêves et son amour de la vie au grand air. Un homme capable de voir le changement subtil entre gris et vert, quand l'herbe frémissait à flanc de colline. Un homme qui connaisse chaque mouton et accorde du temps à chaque mise-bas, au pied sûr et à la foulée saine, non pas rapide et irrégulier. Un homme qui me connaisse et m'appelle par mon nom. Mais j'avais laissé mon nom avec mes frères et sœurs, relégué à l'enfance. À présent, on ne me donnait que du « pastou » et je devais m'en satisfaire. Je serais un bon pastou, quoi qu'il en coûte.

Malabric retira la corde une fois que notre voyage fut bien avancé. Il devait estimer que je resterais avec le troupeau, au lieu de fuir dans l'étendue sauvage de broussailles et de roches, le vaste inconnu. Il avait raison. Mais je ne restai pas par peur.

Ce que l'homme ne faisait pas, mes semblables s'en assuraient. Les moutons de mon premier troupeau me reniflaient, me reconnaissaient. Je léchai le visage de l'un d'eux et je me sentis moins seul, bien qu'aucun mouton ne puisse remplacer mère. Quand je pensais à elle, me remémorant tout ce qu'elle m'avait enseigné, je redressais un peu la tête en suivant mon nouveau chemin, conduisant le troupeau tandis que Malabric arrachait des mottes de terre du bout de sa houlette et les jetait sur les retardataires.

Au fil des sentiers, j'aboyais les avertissements ancestraux, ma langue déjà rompue à l'exercice, mûre pour tenir à distance les ours, les loups et les chiens errants. Durant la journée, du moins. La nuit était peuplée de ses propres créatures, et pendant le sommeil de la plupart des chiens, nous autres travaillions plus dur.

Je sus que j'étais pleinement accepté en suivant l'odeur de la naissance, les cris du nouveau-né, quand la mère me laissa lécher son agnelet et faire disparaître les résidus susceptibles d'attirer les loups et les chiens errants. »

Peldolce se racla la gorge, rappelant à Nici son auditoire et ses devoirs paternels.

— C'est également ce que l'on attendra de vous, mes petits, dit-il à ses chiots. Vous devrez savoir quoi manger et quand. J'ai été à bonne école avec mère et Pastor Jehan, mais il n'y a pas meilleur pastou que *votre* mère ni meilleur berger que le nôtre à Breyault. Apprenez en les observant.

— Et le plus courageux des pères, ajouta Peldolce en levant les yeux vers Nici.

Il poursuivit son récit sans croiser son regard.

« En protégeant mes brebis, je me sentais moins seul. Parfois, ma queue s'enroulait de sa propre initiative dans cet arroundera propre à notre race, joli cercle plumeux. Ma queue était heureuse.

Un jour, une naissance tourna mal. Même Malabric savait qu'il devait attendre de peur de perdre la mère. Je léchai l'agneau pour le nettoyer, mais aucun bêlement ne me répondit. C'était la première fois que je rencontrais un rejeton mort-né et j'étais troublé. L'agneau portait toujours l'odeur de l'accouchement et de la mère, comme si la vie allait venir. Mais il n'y avait rien. Je me détournai, la queue basse.

— Mange-le, sale cabot, s'exclama Malabric en poussant l'agneau mort vers moi d'un coup de pied.

J'en étais incapable. Pas avant qu'il ne prenne une odeur de viande. Comme vous l'apprendrez, mes enfants, votre flair vous indiquera quand manger les bêtes mortes de votre troupeau. Avant cela, vous ne devez jamais faire couler le sang de ceux qui sont sous votre protection. Vous pouvez vous rudoyer les uns les autres et apprendre de vos erreurs, mais vous ne causerez pas la moindre égratignure aux membres de votre troupeau ni à vos humains. »

— Nici, mon chéri, l'interrompit Peldolce, nous n'avons pas besoin d'en savoir plus sur les agneaux mort-nés, pas ce soir… les chiots veulent que tu leur racontes tes aventures.

Nici comprit l'allusion.

— Il y avait plus de douze brebis lorsque nous atteignîmes mon nouveau domaine de

Montbrun. Par trois fois, il était né des jumeaux durant le voyage, les brebis ayant souvent des portées de deux.

Avec un regard soucieux à Peldolce, il demanda :

— Ai-je le droit de mentionner les jumeaux ce soir ?

— Comme tu voudras, fit Peldolce en secouant sa tête hirsute, amusée par la bêtise des mâles.

« Cela dit, Malabric n'avait jamais su tenir le compte de son troupeau. Pastor Jehan dénombrait régulièrement ses bêtes et criait : « Le compte y est ! » avant de faire une encoche sur son bâton et de recommencer. Malabric fourrait quelques pierres dans sa poche et, en cas de questions, affirmait qu'il s'agissait du nombre exact. En revanche, il dut faire preuve de circonspection quand la dame de Montbrun commença à s'interroger sur la bonne marche de son domaine. Alors même, il ne pouvait se retenir de mentir. Mais le fumier flotte, comme on le sait, et Malabric ressortait la tête de l'eau chaque fois qu'on l'y enfonçait.

Il nous emmena directement dans la bergerie, nous y enferma avec le troupeau de Montbrun et s'en alla. À présent, je dirais qu'il avait hâte de jouer aux dés tout ce qu'il avait gagné au marché. Imaginez comment le troupeau de Montbrun réagit à la présence de tous ces étrangers ! Mes brebis protégeaient leurs agneaux, cette invasion rendait le bélier de Montbrun fou de rage, et moi, je ne savais pas quoi faire pour calmer tout le monde.

J'essayai de laisser le bélier me renifler, mais je dus esquiver ses cornes et gronder pour le mettre en garde lorsqu'il se montra agressif envers mes brebis. Dès que je donnai de la voix, tous les moutons de Montbrun cédèrent à la panique, avec force bêlements, et le même manège recommença. Suspicion, coups de corne, apaisement, reniflements et crainte. La nuit fut longue, les différentes factions en retrait derrière les auges, mes brebis ramassées en petit groupe pitoyable.

Enfin, le jour arriva. La matinée commença tardivement, avec l'arrivée du berger qui empestait le champ d'épeautre récemment fertilisé. Il oublia de changer l'eau des abreuvoirs et ne m'apporta rien à manger, mais au moins, nous pûmes quitter l'atmosphère étouffante pour nous égailler dans les champs.

Les grands espaces et la bonne pâture calmèrent les esprits échauffés. J'incitai les moutons à me sentir et je supportai de bonne grâce les réactions vives, dans l'intérêt de l'harmonie générale et pour le bien de mes brebis. Pas une seule fois je ne grondai, au mépris des plus viles provocations, et je fus récompensé par les bêlements paisibles du troupeau. Malabric, bien sûr, ne remarqua aucun de mes efforts. Il passa la journée à dormir.

Lorsque revint le temps des estives, j'étais attaché à tout le troupeau – *mon* troupeau – et je lui étais loyal. J'étais encore jeune et je ressentais la fougue du matin et le combat, au crépuscule, contre mon loup intérieur. La compagnie des miens me manquait et j'oubliais parfois que les moutons n'avaient pas mes pattes rapides ni l'agilité nécessaire pour esquiver mes mâchoires, ouvertes pour le jeu. Imaginez la correction que Malabric m'infligeait s'il me surprenait à gambader ainsi.

Les pâturages d'été étaient vastes et luxuriants. Je pris connaissance du terrain : de nombreux rochers où des loups pouvaient se cacher, mais pas d'abris pour les ours. Seule la nuit exigerait à mes sens de rester aux aguets. En plus de nos efforts acharnés, mère et moi avions eu de la chance. Pour s'assurer la meilleure défense, trois chiens de garde ne sont pas de trop. Les seigneurs de Breyault le savent, ajouta Nici en faisant un signe de tête aux autres adultes dans la bergerie.

Vous savez comment nous travaillons, nous protégeant les uns les autres ainsi que le troupeau. Imaginez-moi, jeune chien, seul dans les collines avec, pour toute aide, un homme que je connaissais mal. Je m'autorisais à fermer l'œil, mais un soir, je dus m'être assoupi trop profondément, épuisé d'avoir effectué le travail de trois chiens à moi seul, encore si jeune. À mon réveil, j'étais seul à flanc de coteau, avec mon troupeau de moutons. Le berger était parti.

Cette nuit fut la plus longue de ma vie. Je sursautai au moindre cri d'oiseau nocturne. En entendant les loups hurler, je craignis qu'ils ne soient plus proches que je le pensais et je décrivis des cercles protecteurs. Que pouvait bien faire un seul pastou ? Heureusement, la nuit se passa sans incident et j'appris à accepter le lourd fardeau imposé à mes jeunes épaules, tout comme les brebis supportaient les traites irrégulières. Quel autre choix avions-nous ? Malabric abandonnait le troupeau chaque fois qu'il en avait l'occasion, retournant en douce au château et à ses mœurs dissolues. »

CHAPITRE CINQ

« En grandissant, les jeux de jeune chien fou me manquaient de moins en moins, mais je regrettais la complicité au travail, avec mère et Pastor Jehan. Je souffrais physiquement d'être l'unique chien d'un berger paresseux, en plus d'être affaibli par le manque de nourriture.

Depuis ma couche de paille, entouré par les moutons, j'entendais les chiens aboyer au château, à la fois proches et inaccessibles. Un soir, alors que nous ramenions le troupeau à la bergerie, je m'attardai en queue de groupe, dissimulé par les autres toisons. Tandis que Malabric sortait les cailloux de sa poche pour faire croire qu'il tenait le compte de ses moutons, je me ruai vers les joyeux aboiements.

Je ne trouvai pas d'autres pastous, mais je fus accueilli par toutes sortes de chiens courants dans la cour du château, par des queues remuantes et quelques coups de crocs. Ma politesse ne tarda pas à désarmer ceux qui se sentaient menacés par mon apparition soudaine et je parvins à me rouler dans la terre avec certains d'entre eux, pour notre plus grand plaisir. Mon troupeau serait en sécurité dans la grange cette nuit, quant à moi, j'avais besoin de compagnie et de nourriture.

Comme on pouvait s'y attendre, mes nouveaux amis me conduisirent dans la grande salle. Me calquant sur leur comportement, j'ignorai les jurons et me faufilai entre les bottes des hommes et les chaussons des femmes pour me trouver une place sous une table à tréteaux. Lorsqu'une manche de velours se glissa sous la table et qu'une main émergea, agitant un os garni de viande, j'hésitai. C'était trop beau pour être vrai. Malabric m'avait déjà testé ainsi, et j'avais été puni. Une fois de plus, l'os fut agité et un chien de chasse noir et brun clair, aux oreilles pendantes frôlant le sol, passa en me bousculant. Il attrapa l'os dans sa gueule et s'allongea, sous la table, pour profiter de son butin.

Avant que la faim ne me pousse à me battre pour cet os, une autre main apparut devant ma truffe, agitant un os presque intact. Cette fois, je n'hésitai pas. Nous restâmes couchés sous la table, le chien de chasse et moi, à mâcher et ronger. La vie était belle, ici. Je me gavai de viande et de moelle jusqu'à ce que mon ventre se réchauffe. Le seigneur et la dame de Montbrun remplissaient leur salle de lumière et de rires, comme je le croyais alors. Plus tard, j'appris que le seigneur de Montbrun n'était que l'ombre de lui-même, dépouillé de tout ce qui constitue un homme en temps normal, et que c'était Costansa, sa dame, qui l'avait avili à ce point.

Cette première fois, cependant, je n'y perçus qu'un foyer, une vie à laquelle j'aspirais. Une fille chanta en jouant de son instrument, tandis qu'un murmure de voix humaines témoignait leur admiration. J'avais oublié la sonorité des compliments et je laissai la chaleur m'envahir, comme s'ils m'étaient adressés.

J'étais un chien de troupeau, et pendant trop longtemps j'avais dû me protéger en plus de veiller sur mes bêtes. La voix douce de la fille endormait ma vigilance, me rappelant mes espoirs et les jours heureux où j'étais encore un chiot. Peut-être, me disais-je, peut-être un sentiment qui réchauffe le ventre peut-il exister entre un homme et un chien, ou en l'occurrence, entre une fille et un chien.

Je dormis sous un arbre à côté de la bergerie et me mêlai au troupeau lorsque Malabric ouvrit la porte au matin. Je caracolai en tête comme si je n'avais pas quitté les bêtes, ma queue arborant un bel arroundera. Ce jour-là, je mis du cœur à l'ouvrage, car je savais que je mangerais tout mon soûl et en agréable compagnie le soir venu, quelques souffrances que mon berger m'ait infligées entre-temps. Et il ne manquait jamais de m'en infliger.

Il vociférait des ordres que je ne comprenais pas, bien que je sache à sa façon de crier qu'il attendait quelque chose de moi. Les coups ne se faisaient pas attendre. Je faisais la sourde oreille à ses ordres, m'ébrouant comme pour chasser des gouttes d'eau même après avoir appris leur signification. Comment travailler correctement en obéissant à des hommes qui n'ont aucun sens du danger ? Pire encore, à des hommes qui n'ont aucun amour. Les rossées laissaient leurs traces.

Parfois, nos chemins croisaient ceux d'autres bergers, avec d'autres troupeaux et d'autres chiens. Ceux-ci travaillaient comme les pastous, mais ils étaient bringés, bruns et noirs, jamais de fourrure blanche comme moi. Nous étions trop protecteurs envers nos troupeaux pour baisser la garde et nous laisser aller aux jeux, même si nos maîtres appréciaient de discuter en rompant le pain, tandis que les chiens gardaient l'œil ouvert. L'un de ces hommes me faisait penser à Pastor Jehan. Sa voix était empreinte de chaleur lorsqu'il parlait – même à son chien, qui surveillait son maître autant que ses moutons.

Ce maître, Gaudis, pratiquait un jeu avec son chien pendant qu'ils se reposaient. Il enroulait un morceau de pain dans un torchon, qu'il lançait çà et là pour que le chien le rattrape, ce qu'il réussissait sans même que le projectile ne touche le sol. Au lieu de déchirer le tissu pour dévorer le pain, comme je l'aurais fait, le chien rapportait la boule à son berger et le jeu recommençait. Après plusieurs répétitions,

Gaudis ouvrait le torchon et donnait au chien sa récompense à grand renfort de compliments.

— Tu vas le gâter, grommela Malabric.

— Je l'entraîne.

— Voilà comment entraîner un chien, rétorqua mon berger en brandissant sa houlette.

Aussitôt, je m'aplatis au sol, les oreilles basses en attendant le coup.

— Tu vois, il reste à sa place de chien.

L'autre homme pinça les lèvres, mais il se contenta de dire :

— Les brebis n'allaitent plus maintenant, mais j'aime tes projets pour l'année prochaine. Tu fais de bons fromages. Nous serons cinq à t'envoyer deux seaux de lait chaque semaine entre mars et août. Nous avons un charretier fiable qui assurera les trajets, pour un fromage en guise de paiement. Il transportera d'autres biens, autant que possible, afin que ce soit intéressant pour lui.

— Un seau donnera quatre fromages, répondit Malabric, pensif.

Il ramassa un bâton et pratiqua quatre encoches, à cinq reprises.

— Alors, ça vous fera vingt fromages chaque mois, mais vous m'en donnerez un pour la peine.

Gaudis se renfrogna en réfléchissant aux comptes.

— C'est très acceptable, convint-il. Chacun de nous cédera un fromage chaque mois pendant cinq mois, et en août nous tirerons à la courte paille pour décider qui en perdra un supplémentaire. Marché conclu, je te donne ma parole.

— Tout comme je te donne la mienne. Je te préparerai les meilleurs fromages que l'on puisse trouver de ce côté de Carcassonne. Tu en tireras un bon prix au marché.

Gaudis parut atterré.

— Mais ces fromages appartiendront à mon seigneur, tout comme les brebis.

— Bien sûr, bien sûr, s'empressa de rectifier Malabric. Je plaisantais.

Gaudis était bel et bien semblable à Jehan. Il ne voyait le mal nulle part.

— Comment ai-je pu croire le contraire ?

Les deux hommes souriaient, satisfaits de cet accord rondement mené. Gaudis tira le flûtiau de sa ceinture et interpréta une mélodie enlevée, la musique des agneaux sautillant au soleil, la joie d'une vie de berger. Ces moments-là étaient rares.

Comme Malabric, j'essayais de rentrer au château dès que l'occasion se présentait. Mais contrairement à lui, je m'assurais de laisser mon troupeau en toute sécurité. Au début, je ne m'éclipsais que rarement, pour la soirée et la nuit, quand les moutons étaient dans la bergerie. Mais lorsque je me laissais enfermer avec eux, je rêvais d'os à viande, de rires humains et de voix douces qui me rappelaient Pastor Jehan, du museau amical d'un congénère. Je m'éveillais seul, la bave aux babines. Aussi nombreux que soient les moutons de Malabric, je me sentais seul. Peut-être avait-il raison quand il disait à qui voulait l'entendre que j'étais un bon à rien. Et pire que cela, après l'Hiver Noir.

Tel maître tel chien, dit-on, et Malabric était le pire des bergers. En mai, il tondait les moutons lui-même, mais prétendait faire appel à un employé afin d'empocher le paiement. C'étaient les brebis d'élevage, les antenais et les agneaux qui en payaient le prix fort. Je léchais leurs plaies, là où le sang perlait sur la peau écorchée. S'il ne les avait pas lavés avant la tonte, les agneaux ne se seraient pas autant agités pour chasser l'eau de leurs oreilles, et il aurait eu une meilleure prise sur leurs pattes attachées – par des liens bien trop serrés.

Il n'avait cure de la chaleur dont souffrait le troupeau fraîchement tondu, privé d'ombre en pleine journée, parfois jusqu'au malaise. Je me réjouissais de mon épaisse fourrure, car bien souvent l'abri le plus proche était à des milles de distance. Les moutons ne prenaient pas l'initiative de chercher la fraîcheur. C'est pourquoi ils avaient besoin des bons soins de leur berger – et des miens. J'étais las de penser à la place du bétail, incapable de penser par lui-même.

Le plein été était épuisant. Chaque soir, Malabric nous laissait dans les champs pour retourner au château. Je travaillais. Affamé, seul, nostalgique de la salle de banquet, je ne quittais jamais mon troupeau et le protégeais de tout mal. Je maigrissais, mais je persévérais à ma tâche.

Quand l'argent de la laine volée venait à manquer, Malabric restait pendant des jours avec le troupeau. Il prenait le couteau tranchant de sa ceinture et entaillait les brebis les plus grasses. Pas comme Pastor Jehan, qui saignait les bêtes malades par la gueule pour les guérir. Pas même comme Malabric lui-même, quand il leur coupait les oreilles pour les soigner. Pastor Jehan disait qu'un mouton sans oreilles avait perdu son honneur, et que seul un mauvais berger pratiquait ainsi la saignée. Comme si j'avais besoin de preuves supplémentaires que Malabric était un mauvais berger ! Non, cette fois, mon maître tranchait des morceaux de gras à même la brebis qu'il avait choisie.

Et il souriait.

— Ce suif me rapportera un beau montant, disait-il.

Puis il partait recueillir et dépenser son gain, tandis que les brebis qu'il avait blessées faiblissaient et tombaient malades. Je les réconfortais tant bien que mal, mais mon cœur suivait Malabric au château, loin de ces malheureux moutons et de mon malheureux labeur, vers la vie, les rires et la bonne chère.

Malgré cela, je restai fidèle au poste.

Et puis, un jour, tout changea. Malabric remonta la colline en hâte pour rejoindre le troupeau, sortit du pain de son panier et me le lança avant de s'appuyer sur sa houlette, image parfaite du berger consciencieux auprès de ses moutons. Seules sa respiration lourde et son haleine aigre trahissaient une tout autre vérité.

Peu de temps après, la dame de Montbrun gravit la colline sur les pas de Malabric et approcha le troupeau qui bêlait avec agitation.

— Vous me faites un grand honneur, ma dame, bredouilla mon maître.

— Je fais le point sur le domaine de mon seigneur et je souhaite un rapport détaillé sur ses troupeaux.

À cause des brins de laine s'échappant de la poche de son chapeau ou de ses étranges façons de calculer, la dame se montra froide et suspicieuse devant son berger.

— Mon seigneur ne connaît rien à l'élevage ovin, Malabric, mais je connais tous les aspects du métier et je vous ai à l'œil, déclara-t-elle en guise de conclusion avant de tourner les talons.

Mon maître garda le silence, mais jusqu'à l'automne, il prit soin de ne lui donner aucun grief. Il récura la grange, y répandit de la paille fraîche et remplit les auges de foin. Il nous y ramenait la plupart des jours ou nous laissait dans les pâtures, à l'ombre et près d'un cours d'eau. Il nous donnait de l'eau fraîche au quotidien, n'oubliait pas mon pain sec et utilisait une badine pour mener le troupeau ou pour me châtier, à la place de cette houlette que j'en étais venu à détester. Nous étions tous en bien meilleure santé depuis qu'il nous prodiguait ces soins. Nous en avions besoin, car la saison des loups était arrivée. »

CHAPITRE SIX

« En tant que bergers et en tant que pastous, nous suivons les cycles annuels du climat, tel qu'ils agissent sur le ciel et les pâtures ; l'accouplement et les naissances ; les semis, la moisson et la mort ; ainsi que la faim qui taraude nos ennemis selon leurs propres saisons de rut et d'abondance. Aucune période de l'année n'est absolument sûre, mais nous apprenons à quel moment être vigilant, et pourquoi. Nos frères fous, les chiens errants, sont surtout tentés par les agneaux au printemps, tout comme ceux venus du ciel, qui emportent des nouveau-nés entre leurs serres redoutables. Les ours plus lourds choisissent des proies indifférenciées, sévissant dans le brouillard des estives. Ils vivent dans les hauteurs et se gavent en début d'automne, avant leur long sommeil pendant lequel ils nous laissent en paix. Viles créatures, ils mangent sans tuer et tuent sans le vouloir. Des troupeaux entiers de moutons terrifiés peuvent dégringoler d'une falaise pour leur échapper.

Nos cousins gris, quant à eux, persécutent le bétail en toute saison, guettant les occasions de rapines. De leurs mâchoires puissantes, ils emportent des agneaux et s'enfuient ventre à terre. Un loup n'est pas de taille contre un pastou, et même les meutes s'attaquent plutôt aux proies isolées. Mes aboiements les avaient dissuadés tout l'été. Je n'avais pas vu la moindre ombre furtive durant mes longues nuits de veille. Ni ours ni loups n'osaient braver les nombreuses bêtes auxquelles ils pensaient avoir affaire, grâce aux échos nocturnes et à la faveur de l'obscurité.

Mais quand les brumes de novembre se déposèrent dans les vallées, enveloppant les arbres de leurs linceuls blancs, les loups descendirent avec nous vers les bas pâturages. Je pouvais les sentir rôder, gris comme des nuages de pluie, fébriles et affamés. Prêts à prendre des risques.

L'humeur maussade de Malabric était alimentée par la rigueur de l'automne, froid et contagieux. Entre tous les temps, c'était le froid humide que les moutons redoutaient le plus, de sorte qu'il était deux fois plus important de les accompagner à la bergerie chaque soir et de les y maintenir si le temps était à l'orage. Je restais avec eux, ignorant l'attrait de cette voix mélodieuse, dans ma tête, qui chantait les louanges de la chaleur et des os à viande.

Malabric, en revanche, jouait toutes les nuits et se levait tard, les yeux aussi rouges que ceux des loups. Il emmenait le troupeau paître aussi près de la grange que possible, où ne poussaient que des herbes rases, tandis qu'il s'empressait de retourner perdre son temps avec ses compères du château. Les moutons s'étaient accouplés, les brebis n'avaient pas besoin de traite et il ne voyait aucune raison de tenir compagnie au bétail. Ou à moi.

Dans les champs arides et exsangues, je m'efforçai d'aboyer les avertissements que mère m'avait inculqués, mais mon ventre grognait plus fort que moi, et les arbres coiffés de brume blanche étouffaient ma voix.

Chaque jour, du coin de l'œil, je voyais des ombres grises en maraude entre les arbres. Quand je les chassais, elles disparaissaient, bêtes de ma propre fantaisie. Je courais tout autour du troupeau, marquant notre territoire, mais les limites oscillaient dans la brume, interrompues par les arbres qui semblaient toujours plus proches et menaçants.

Les loups avaient leur meute. Moi, je n'avais que mes moutons.

— Bêêê, faisaient-ils.

Ce fut le bétail qui donna l'alerte quand l'attaque se produisit. Une brebis hurla à la mort de l'autre côté du troupeau, derrière moi. L'ennemi avait frappé, l'un d'eux m'attirant à lui tandis que les autres nous encerclaient. Je ne pouvais pas être en deux endroits au même moment ! Je revins en trombe vers le cri, fendant les moutons regroupés qui bêlaient de peur. En arrivant sur place, je me rendis compte de l'avantage que présentait une meute.

Un groupe de brebis avait été séparé de ses congénères et entraîné vers un bosquet, où elles étaient assaillies de tous côtés. Certaines étaient mortes, d'autres mourantes et d'autres encore sous la menace de silhouettes agiles aux mâchoires luisantes.

Dans un rugissement de fureur, je m'élançai vers le loup le plus proche. Il fut pris au dépourvu et sa gorge déchirée rougit la toison en dessous, mais il était trop tard. Sa meute se dispersa dans la grisaille pour revenir un par un derrière moi ou sur le côté alors que je faisais volte-face, pourchassant un adversaire invisible. Je grognais et mordais, tous crocs et griffes dehors, aidé par les piques de mon collier, tandis qu'à mes oreilles retentissaient les bêlements de mes moutons à l'agonie.

Je tournais toujours sur moi-même quand leur absence me frappa soudain. C'était terminé. La meute était partie. Les loups que j'avais tués gisaient à côté des brebis mortes. Ce fut à ce moment que l'horreur m'atteignit de plein fouet. Tous les malheureux moutons étaient ceux de Pastor Jehan, mes brebis spéciales, mon premier troupeau. Voilà pourquoi les loups les avaient séparés si facilement. Le troupeau de Montbrun n'avait jamais véritablement accepté les nouveaux venus, et sous la menace des loups, les autres s'étaient protégés mutuellement. Un troupeau n'est pas une meute.

Je me couchai, mon museau ensanglanté sur mes griffes rouges et meurtries, et j'attendis. Au cas où les loups reviendraient. Si Malabric crut que je dormais lorsqu'il me vit parmi les cadavres, il se trompa. En revanche, s'il crut que j'avais oublié les vivants, peut-être eut-il raison. Mes brebis étaient mortes et c'était par ma faute. Il n'existe pas de pire déshonneur.

Je ne sentis même pas la houlette quand Malabric me frappa pour avoir laissé les loups atteindre le troupeau. Aucun châtiment qu'il pouvait m'infliger ne me ferait mériter le pardon pour cet échec. Il retira le collier hérissé de pointes que je portais dans les pâturages et il ne me l'attacha plus jamais. Peut-être l'avait-il vendu. Tout ce que je sais, c'est que je me sentais plus lourd sans ce présent de Pastor Jehan.

Tout en léchant mes plaies auprès du troupeau dans la bergerie, ce soir-là, je me dis que ma vie était finie. Pourtant, même dans ces moments les plus obscurs, j'étais hanté par le souvenir d'une chanson douce, d'une main sous la table, d'une caresse. C'est une chose si infime à laquelle se raccrocher, l'espoir. »

CHAPITRE SEPT

« Je passai l'hiver à panser mes blessures et à esquiver les coups de Malabric. Son indifférence brute était devenue putride, un furoncle qui ne serait percé que par ma mort. Et je méritais sa haine.

Je continuai mon travail, mais en regardant les moutons, je voyais mes brebis mortes. Les arbres me rappelaient des milliers de loups, efflanqués et assassins. Je ne supportais plus la stupidité du bétail. Je préférais encore affronter les loups, imaginaires ou réels. J'entrepris de marquer chaque arbre et chaque brin d'herbe, d'exprimer ma force et mon dédain par mes aboiements, de m'enfoncer dans les plus épais des brouillards, dans les plus noires des ténèbres. Personne ne verrait ma peur. Et moi encore moins que les autres.

En revanche, je ne pouvais plus endurer la nature sotte des moutons. Ils poussaient des bêêê et des bâââ comme si de rien n'était. Leurs yeux reflétaient l'herbe mâchée. Ils piétineraient mon corps sans vie aussi aisément qu'ils sauteraient d'une falaise, apeurés, tête la première, à la suite d'une sonnaillère ahurie. Je n'étais pas des leurs, mais ce travail était mon destin tragique et je l'acceptais.

Au début, j'avais trop honte pour retourner dans la grande salle, mais en entendant les inflexions d'une voix féminine un soir où nous rentrions à la bergerie, je quittai le troupeau et détalai vers le château avant que Malabric puisse m'attraper. Ainsi recommencèrent mes soirées sous la table, m'éloignant de ma mission de protection envers un troupeau dont je ne me souciais plus.

Chaque nuit, je dormais dehors avec pour toute couverture mon épais manteau blanc, même quand l'épais manteau blanc de l'hiver recouvrait le sol. Je me sentais moins seul sous un arbre à côté de la grange que je ne l'étais sur la paille chaude auprès des moutons. Chaque matin, je me mêlais ni vu ni connu au bétail que Malabric faisait sortir. Nous étions tous les deux de très mauvais bergers.

Il y a un certain réconfort à avoir son propre foyer, même sous une table où le chien courant aux longues oreilles m'accueillait. Il ne savait rien de mon échec, ce qui me réconfortait à certains égards. Peut-être, en d'autres compagnies, pouvais-je être le chien que j'étais né pour devenir.

Les humains aussi avaient leurs habitudes et

je reconnaissais les mains, les manches et les odeurs qui m'honoraient de leurs restes. Une main en particulier était spéciale, burinée par le travail manuel, avec des résidus d'huile et de suie dans ses plis, quoique soigneusement lavée et enduite de suif et de savon. L'homme sentait aussi l'acier, la fumée et les chevaux. Un forgeron ? Mais il sentait le cuir et la paille, des effluves de cuisine et d'herbes odorantes, comme s'il avait parcouru tous les couloirs du château. Un intendant ? Il fredonnait tout bas pendant le chant de la jeune femme et applaudissait à tout rompre lorsqu'elle avait terminé. Son ami, sans doute. Bien qu'elle soit assise à une autre table, avec le seigneur et sa dame.

— On croirait entendre sa mère, dit-il avec fierté comme si elle était son meilleur chiot.

Il étendit les jambes sous la table, alors que je me redressais en espérant recevoir une obole, et sa main rencontra ma bajoue qu'il caressa. Il recommença son geste et je compris que c'était son intention.

— Te voilà, toi, mon grand, murmura-t-il.

Personne ne m'avait touché de la sorte depuis Pastor Jehan. Je tremblais, mais restai coi, une seule chanson dans les oreilles, une seule caresse sur la tête. Il n'y avait aucune brebis à l'agonie dans la grande salle. J'avais le sentiment qu'aucun mal ne pouvait pénétrer ces murs. Comme Pastor Jehan et Gaudis, j'étais encore bien naïf.

Un soir, alors que je rejoignais en douce le recoin où je passerais la nuit, je m'interrompis en entendant deux voix dans l'obscurité. Dame Costansa et Malabric. Comme je ne voulais pas me faire prendre, je m'éclipsai dans l'ombre.

— Je t'avais prévenu, maugréait la dame. Tu devrais être pendu pour ces crimes contre mon seigneur. J'ai tout bien noté. Une brebis grasse vendue au marché et remplacée par une brebis maigre, très certainement volée – bien que tes comptes soient si mal tenus que personne ne pourrait remarquer la disparition d'une seule bête ! Vingt brebis tuées par des loups, pourtant mes hommes n'ont vu que dix cadavres, et ils n'étaient pas récents. Tu dis que les loups en ont emporté dix. Mais ton chien a tué trois loups en défendant le troupeau du mieux possible. Je dirais que tu as pris dix moutons de ton seigneur pour en tirer profit. Est-il nécessaire de continuer ?

Malabric était à ses pieds.

— Il y a une explication pour tout ceci, ma dame. Je ne suis pas le responsable. Le marchand vous a menti et vous vous trompez au sujet de ce chien. Il est vicieux et c'est lui qui s'est joint aux loups pour massacrer les vingt bêtes. Je vous en prie, laissez-moi vous faire changer d'avis à mon sujet, par tous les moyens.

— Il y a peut-être un moyen, en effet…

Les yeux de Malabric irradiaient au clair de lune et il dévoila ses dents, comme lorsqu'il avait conclu l'accord pour le fromage avec

Gaudis, marché qu'il n'avait toujours pas honoré.

— Tout ce que vous voudrez, ma dame.

— Cette fille m'agace. Mon seigneur n'oubliera jamais sa première épouse avec une fille qui ressemble un peu plus à sa mère chaque jour. Je veux m'en débarrasser.

Il y eut un silence rempli de ténèbres.

— Vous en débarrasser, ma dame ?

— Épargne-moi les détails. Tu as su faire disparaître bien assez de moutons. Il y a des loups par ici. Il y a des malfrats armés de couteaux, qui s'attaquent aux jeunes filles. Surtout une jeune fille qui aime à s'aventurer dans la forêt. Assure-toi qu'elle disparaisse.

— Oui, ma dame. Laissez-moi jusqu'au printemps, quand nous passerons plus de temps en plein air.

— Jusqu'au printemps, concéda-t-elle. Nous nous sommes bien compris. Moins l'on nous verra ensemble, mieux cela vaudra.

Soulevant le bas de sa robe au-dessus de la boue, elle revint vers la grande salle, tandis que mon maître restait les bras ballants. Puis il se détourna et je fus libre de me rouler en boule dans mon recoin habituel, seulement troublé par mes pensées.

J'avais reconnu les mots « ce chien » et l'intonation qui les accompagnait. On m'avait déjà vendu, un jour. Je le serais peut-être à nouveau, même si je ne valais plus l'équivalent d'un bélier sain, tout juste un bon coup de pied.

C'était ce que disait mon maître. Non, le sort réservé à « ce chien » serait pire encore que celui que j'endurais alors. Je finis par m'endormir et l'année poursuivit son cours indifférent.

Le soleil se leva plus tôt, les agneaux naquirent. Quand ils devinrent forts, sautillants comme des cabris, mon maître se mit sérieusement au travail, trayant les mères avant le départ pour les prés et chaque soir en rentrant. Tous les jours, il envoyait des seaux de lait au château et en gardait certains pour la préparation du fromage. Ainsi, bien sûr, que pour ses propres repas. Mais pas les miens. Un jour, j'avais léché le seau de petit-lait quand il avait le dos tourné et le goût, salé et aigre à la fois, m'avait presque réconcilié avec les moutons.

Nous sortions plus souvent, à présent que le temps le permettait, et je le suivais dans sa cabane, intrigué. Là, il ajoutait quelque chose au lait, puis le faisait chauffer dans une marmite sur le feu jusqu'à ce qu'il forme des caillots. Alors, il le suspendait dans un torchon et le laissait égoutter au-dessus d'un seau. Puis il serrait le torchon en boule ferme, qu'il entreposait sur une étagère.

Gaudis tint parole. Les cinq bergers lui envoyaient leur lait par l'entremise du charretier, une fois par semaine. Nous devions attendre la livraison avant de monter dans les pâtures et je voyais mon maître regarder sous le couvercle de chaque récipient pour s'assurer

qu'on ne l'avait pas dupé. Après cette
vérification, il lui remettait le nombre convenu
de fromages qu'il irait distribuer. Je savais qu'il
envoyait au château les fromages du troupeau
de Montbrun. Mais j'étais surpris qu'il conserve
un fromage par semaine, dans une boîte sous
son matelas de paille.

— Le marché de mai, dit-il. D'abord faire ce
qu'a demandé la dame, puis me faire plus
discret au marché aux bestiaux, le temps que
dure le raffut. Je pourrais aussi me débarrasser
de ce chien minable et m'en trouver un meilleur.

J'avais la queue basse. Chaque fois qu'il
mentionnait mon nom, il me rappelait mon
échec. Il tendit le doigt vers moi quand notre
chemin croisa celui des autres bergers et il fit ce
geste qu'il avait déjà fait pour échanger un
mouton contre un nouveau couteau – une vieille
brebis qui n'était plus fertile, mais que Malabric
avait pris soin de montrer flanquée de deux
agneaux sevrés au moment de l'échange. Il
s'était assuré de vérifier le tranchant de la lame.
Peut-être les bergers se souvinrent-ils de cette
transaction lorsqu'ils secouèrent la tête en me
regardant avant de passer leur chemin. »

CHAPITRE HUIT

« Puis, un jour, un mauvais pressentiment me vint. Malabric avait été tendu, nerveux pendant des jours. Il sortait son couteau et marmonnait avant de le rengainer.

— Demain peut-être, ne cessait-il de répéter.

C'était le jour de livraison du lait, mais le visage du charretier paraissait plus rance que du fromage blanc oublié au soleil. Trois bergers ouvrirent brusquement la toile et, d'un bond, descendirent du chariot couvert.

— Bonjour, Malabric, dit Gaudis, poliment mais froidement. Nous voulions voir comment tu prépares les fromages. Filipot et Otz n'ont pas pu venir, mais ils savent que nous sommes là.

— Je n'ai pas beaucoup de temps. Vous auriez dû me prévenir, répondit Malabric, abrupt mais tout aussi courtois, comme un homme occupé. Bien sûr, vous pouvez voir vos fromages et les emporter ensuite.

Il sortit les seaux du chariot et les autres bergers l'aidèrent à les porter dans la cabane.

Je les observai attentivement. Mon maître désigna la marmite, les torchons, les fromages suspendus et les autres, achevés, sur l'étagère. Sa bouche, ses mains et son corps s'agitaient beaucoup, mais ses yeux revenaient se poser en permanence de l'autre côté, sur sa cachette.

Les autres se détendirent, firent montre d'intérêt et hochèrent la tête avec satisfaction devant leurs fromages terminés et ceux encore en préparation. Ils acceptèrent son invitation à s'accroupir ensemble, dans cette posture propre aux bergers, et à siroter un bol de petit-lait qu'ils partagèrent amicalement.

Je me rapprochai, intéressé par le bon goût de crème salée, mais aussitôt, je me recroquevillai pour esquiver le coup sur le museau envoyé par Malabric.

— Ce chien te suit partout, commenta Gaudis.

— Si tu le veux, il est à toi, répondit mon maître d'une voix lourde de mépris. Tu pourrais lui apprendre « va chercher ».

Ils me regardèrent. En entendant « va chercher », je remuai la queue. Si je plaisais à Gaudis, il me prendrait peut-être. Ce serait un nouveau départ.

Je savais que « va chercher » signifiait « rapporte-moi ce torchon en boule ». Alors, c'est ce que je fis. Désireux de faire bonne impression à Gaudis, je me ruai vers le lit de camp, en dispersai les brins de paille avant que mon maître puisse m'arrêter, ouvris la boîte en bois avec mes griffes et pris délicatement l'une des boules de tissu entre mes crocs. Sans prêter attention à l'odeur de fromage alléchante qui me montait aux narines – si seulement j'avais le faible odorat des humains ! –, je déposai le fromage entre les mains de Gaudis.

Soudain, ce fut le chaos. Tous les hommes se levèrent d'un bond et se mirent à s'invectiver tandis que je reculais sans comprendre ce qu'il se passait ni qui en était le coupable. Était-ce une lutte de pouvoir ?

Deux hommes retinrent Malabric tandis que les autres sortaient la vieille boîte de sous le lit et en retiraient les fromages en s'égosillant.

— Tu nous as roulés !

— Tu vends nos fromages !

— Combien en as-tu volé chaque mois ? Chaque semaine !

— C'est un malentendu !

La voix de mon maître était à peine audible par-dessus le vacarme, mais je percevais son timbre mielleux.

— Emmenons-le au seigneur. Il sera pendu pour cela !

— Oui, emmenez-moi au seigneur et je pourrai tout expliquer, fit Malabric, implorant.

— Je ne lui fais pas confiance, dit le berger aux sourcils noirs, aussitôt rejoint par les autres. Il sait se mettre le seigneur dans la poche. Un homme comme lui est aussi sournois qu'un serpent.

— Le seigneur n'interfère pas dans les affaires de bergers si personne ne le lui demande. Réglons cela nous-mêmes.

— Nous ne pouvons pas le pendre comme il le mérite. Le seigneur n'aimerait pas que nous exécutions la justice à sa place.

Ils débattirent de la question pendant que Malabric s'efforçait d'échapper à la poigne qui l'immobilisait.

— Jetons-le en l'air sur une couverture, proposa Gaudis.

Malabric blêmit.

— Non, fit-il dans un souffle.

Les bergers discutèrent.

— Et s'il se casse une jambe, qu'à cela ne tienne.

— S'il meurt de l'infection, ce ne sera que justice, n'est-ce pas ?

— Bien vrai !

Fiers de leur idée, les bergers entraînèrent hors de la cabane un Malabric toujours récalcitrant. Je les suivis un peu avant de prendre la seconde décision déterminante de ma journée. Pourquoi devrais-je suivre Malabric ? Pourquoi devrais-je le considérer comme mon maître ? Il avait perdu la bataille du pouvoir. Gaudis ne voulait pas de moi.

Je retournai à la cabane et léchai le pot de petit-lait avant de me rendre au château. Là, je me présentai à chaque chien que je n'avais encore jamais rencontré et je jouai avec ceux que j'appréciais le plus. J'étais un mauvais pastou, un mauvais chien. Alors, autant me montrer à la hauteur de ma réputation.

Quand mes camarades de jeu se dirigèrent vers la grande salle à la fin de la journée, je les accompagnai en espérant ajouter de la viande et du pain à ma portion de lait de la journée. Je trouvai ma table habituelle et la même compagnie, que je saluai en reniflant, avant de regarder fixement l'espace sous la table, espérant voir une main apparaître.

Non seulement la main de l'homme combla mes espoirs, mais il me passa tout un tranchoir sous la table : de la viande en ragoût *et* le pain sur lequel elle était servie. L'homme n'en avait pas pris une seule bouchée. Quelle formidable journée !

Ma seule déception, c'était que la fille ne chantait pas, ce soir-là. Comme sa musique et sa voix me manquaient, je tendis immédiatement l'oreille en entendant son timbre à côté de l'intendant, un murmure discret. Son parfum de fleurs des champs me monta aux narines.

— Merci, dit-elle. Je te dois la vie.

— Que Dieu vous garde, ma dame Roxane. Qu'il nous accorde de nous revoir dans des temps meilleurs.

— Je l'espère, Gilles.

Leur empressement était troublant, mais j'avais de la sauce à lécher, si bien que je ne leur prêtai pas grande attention jusqu'à ce que les jambes de l'homme se dressent. Il s'en alla. Personne d'autre ne partit. Bien au contraire. Un homme s'était mis à chanter d'une voix aussi tonitruante qu'une cloche, trop désagréable pour mes oreilles sensibles en dépit de l'accueil favorable que lui réserva le public. Peut-être était-il plus haut placé que les autres dans leur meute.

Une fois de plus, un mauvais pressentiment me vint. À présent, j'avais le ventre plein et la chanson m'agaçait. Je quittai la table, puis la salle, et dans le crépuscule j'aperçus un homme s'éloigner du château en direction des bois. *Gilles*, pensai-je d'abord. *Les loups*, tout de suite après. Même si l'on était au printemps, les ombres grises ne quittaient jamais mes pensées.

Je suivis Gilles, observant à distance raisonnable son comportement étrange. Il s'assura que personne ne l'épiait, mais tout le monde était dans la grande salle. Il portait un sac et une chaussure, et se baissait à chaque pas pour toucher le sol. Alors qu'il progressait ainsi, un pas après l'autre, s'enfonçant entre les arbres, je humai les traces qu'il avait laissées.

Les empreintes de Gilles étaient profondes dans le sol boueux et l'odeur d'une seconde personne les accompagnait. C'était le parfum de fleurs des champs de la jeune fille avec une pointe de sueur, en deux endroits. Je m'interrogeai tout en suivant les traces. Roxane était passée par là, tout près de Gilles. Elle n'était pas avec lui, et pourtant c'était son odeur, là, dans ses pas.

Enfin, je compris. La chaussure appartenait à Roxane, et Gilles laissait ses empreintes dans le sol. J'agitai le cou, ma truffe en l'air pour mieux flairer les environs, ignorant les odeurs de l'intendant et de la jeune femme pour identifier celle de la viande saignante. Mon compagnon de tablée aux longues oreilles eût été fier de moi.

J'allongeai la foulée à la suite de Gilles, me rapprochant de lui dans la forêt, réprimant la tentation d'aboyer pour prévenir de notre présence. Ce n'était pas mon rôle habituel de chien de garde, mais quelque chose clochait. Je ne pensais pas que Gilles avait fait du mal à Roxane. Après tout, j'avais entendu l'affection dans leurs voix. Mais pourquoi laissait-il des odeurs de violence sur son passage ?

Je suivis sa piste dans les bois, jusqu'à une croisée de chemins. Là, je me dissimulai derrière un arbre comme mon cousin le loup. Il s'était arrêté et regardait le sol. Le chemin visiblement le plus emprunté tournait à gauche. Il jeta un œil attentif autour de lui. Un morceau de tissu était resté accroché à une branche. Il le retira, le fourra dans sa sacoche et en sortit quelques morceaux de viande. Il entreprit alors de les enfouir sous la terre, au départ d'une sente étroite sur la droite, utilisant la chaussure de Roxane pour les enfoncer dans la boue. Ensuite, il traîna la chaussure sur le sol jusque dans les bois, hors des sentiers battus, avant de revenir

pour admirer son œuvre. Il donna des coups de
pied dans quelques mottes de terre, sur le
chemin qui tournait à gauche, puis il y jeta des
brindilles et des cailloux. Enfin, il s'en alla dans
la direction opposée, vers la forêt profonde,
écrasant délibérément les branches sous ses pas,
qu'elles se trouvent ou non en travers de son
chemin.

Je menai mon enquête. D'abord, l'endroit où
Gilles avait déposé son odeur. Ce fut plutôt
facile, car je l'avais vu enfoncer la chaussure de
la fille ainsi que les morceaux de viande avant
de s'éloigner d'un pas lourd. Ce qui m'intrigua
le plus, ce fut le chemin où il avait brouillé les
pistes. Je reniflai, palpai et humai l'air. Le doute
n'était pas permis. Roxane était passée par là.

Je me tenais à la croisée des chemins dans les
bois. J'avais un choix crucial à faire. Un bon
pastou retournerait à ses moutons, qu'il n'aurait
jamais dû quitter. Mais je n'étais pas ce chien-là.
Il y avait une menace dans l'air, un loup
invisible, et mon instinct me dictait de protéger
la fille à la jolie voix. Aucune corde, aucune
houlette n'était là pour m'en empêcher.

Pourquoi Gilles laissait-il des traces avec des
odeurs de viande fraîche ? Certainement pour
que mon ami aux longues oreilles et ses
semblables suivent cette piste.

Si le chien courant remontait cette trace, ses
pas dans les miens, il comprendrait toute
l'histoire, y compris le rôle que j'y avais joué,
mais il n'était pas forcé de l'exprimer. Pas si je

lui laissais un message. Je lâchai un long jet d'urine là où débutait le chemin de Roxane.

« J'étais là. Je vais suivre la fille. Laisse-moi faire. Tout est sous contrôle. Au revoir. »

Mon ami comprendrait.

Enfin, je m'en allai, fonçant à travers les broussailles sans me soucier des traces que je laissais derrière moi. Personne ne me chercherait. Les vignobles succédèrent aux bois. Bien que son odeur soit distincte, la fille n'était nulle part. Je me fiais à mon flair, suivant la piste jusqu'au bout, où le champ rencontrait un chemin aussi large qu'une rivière.

Et là, dans un fossé, gisait Roxane endormie. Ses habits rudimentaires devaient tout juste la protéger du froid. Me coulant derrière elle, je m'étendis pour la réchauffer comme je le faisais avec les agnelets, dans le temps, quand j'avais pour seul désir d'être un bon pastou. J'étais né pour cela, et cette nuit-là, je sentis son souffle entre mes pattes, sa peau comme celle des brebis tondues contre ma fourrure. Je lui donnai ma chaleur ainsi qu'une promesse que je n'enfreindrai jamais. Quant à elle, elle me donna un but et une seconde chance. Je lui offrirais ma vie sans la moindre hésitation.

Le lendemain matin, elle posa sur moi le regard d'une inconnue. Elle s'appelait Estela et elle me traita de Nici, « stupide », avec une amertume dont elle était la seule cible.

Nous allions partager une longue route ensemble, jalonnée d'aventures, mais je n'oublierai jamais cette première fois où, épaule contre épaule, nous défiâmes le monde. À côté de ce même fossé. »

— Parle-nous du seigneur Dragonetz, demanda Reymarca en se grattant derrière l'oreille. Son courage.

— Sa bravoure.

— Sa belle armure et son épée rutilante, clamèrent les chiots en chœur.

Nici ouvrit sa gueule, mais sa réponse fut noyée par le hurlement soudain de l'orage. Quand le sifflement de la bourrasque s'apaisa, une menace inattendue déclencha les aboiements de la meute. Quelqu'un frappait à la porte.

CHAPITRE NEUF

— Musca ! Tu es là ?

Les chiens se rassirent en entendant la voix familière et le garçon s'écarta du monceau de chiots tout chauds en frottant ses yeux ensommeillés.

— J'arrive, papa. Je vous ouvre la porte.

Dans un tourbillon de flocons de neige, un homme de grande taille emmitouflé dans une cape en laine pénétra dans la bergerie. Il souleva Musca dans ses bras et le fit sauter, hilare, dans les airs. Le mouvement de la cape révéla, en dessous, les motifs intriqués de son épée en acier de Damas.

— Je suis un grand garçon, maintenant, protesta Musca.

— Et lourd, qui plus est. Je m'exerce avec des poids, le taquina le seigneur Dragonetz. Je devrais tuer Raoulf pour le punir de t'avoir laissé partir. J'étais mort d'inquiétude !

Retrouvant soudain son sérieux, le garçonnet

insista pour que son père le repose par terre.

— S'il y a une faute, c'est la mienne, Sire. Raoulf a cru que je dormais et nos hommes avaient besoin de ses conseils pour les défenses de l'est. J'aurais peut-être dû y aller à la place de Raoulf, puisque vous étiez occupé ? Je ne sais jamais si j'ai le droit de vous représenter en votre absence.

— Non, tu as bien fait de laisser partir Raoulf, répondit Dragonetz. Je dois dire que ta mère t'a appris un vocabulaire très impressionnant.

— Merci, Sire, répondit le garçon, les lèvres tremblantes. Comment va madame ma mère ?

Incapable de contenir sa joie, Dragonetz souleva une nouvelle fois son fils dans ses bras.

— Elle va bien, très bien, même ! Et tu as une petite sœur ! Nous allons faire carillonner les cloches ce matin.

— Dois-je me réjouir d'avoir une petite sœur ?

La réponse de son père fut interrompue par une boule de fourrure blanche qui passa en trombe à côté de lui et franchit la porte grande ouverte de la grange pour aller rejoindre sa maîtresse.

— Va trouver Estela, Nici !

En temps normal, Dragonetz évitait de donner des ordres superflus, mais personne ne pouvait empêcher Nici de rejoindre sa maîtresse maintenant, comme il l'avait fait le jour de la naissance de Musca.

Les yeux écarquillés, les chiots regardaient la porte ouverte où les flocons de neige tourbillonnaient toujours. Leur mère soupira avant de distribuer des coups de langue.

— C'est votre père dans toute sa splendeur, murmura-t-elle.

— C'est Nici dans toute sa splendeur, fit Dragonetz en secouant la tête. Il aura vu ta sœur avant toi ! Monte sur mon dos, je vais te porter.

— J'ai déjà des frères et sœurs, déclara Musca en se retournant pour leur dire au revoir. Bonne nuit, ouaf, ouaf. Ils me parlent, papa. Ils me racontent des histoires.

Dragonetz écarta des yeux de son fils une boucle de cheveux noirs rebelle.

— On raconte que la veille de Noël, à minuit, toutes les bêtes parlent. En souvenir d'une étable et de la naissance d'un enfant. Peut-être as-tu eu la chance de les entendre.

— Oui. J'ai de la chance ! Mais je crois qu'ils parlent toujours, seulement on ne les entend que la veille de Noël. Va-t-elle se bagarrer avec moi ?

Dragonetz eut la sagesse de comprendre qu'il s'agissait d'un espoir plus que d'une crainte.

— Elle doit d'abord grandir un peu. Mais si elle ressemble à sa mère, je crois qu'elle fera une excellente adversaire. En attendant, tu seras son protecteur.

— Comme Nici.

— Oui, comme Nici. Tu la garderas.

REMERCIEMENTS

Un grand merci à :
tous mes lecteurs, et en particulier à celle qui
m'a dit qu'elle avait adoré la saga *Les
Troubadours* et qu'elle aimerait connaître
l'histoire de Nici ;
ma correctrice et amie, Lesley Geekie ;
ma traductrice française, Laure Valentin ;
Babs, Claire, Karen, Kristin et Jane pour leur
amitié, leur soutien et leurs critiques
constructives ;
John N. Green, de l'Université de Bradford, pour
sa patience avec des questions du genre : « Les
bergers occitans avaient-ils un système de calcul
comme *Yan, tan, tethera* (Anglais du Nord) ? » La
question court toujours, mais c'était amusant
(du moins pour moi) ;
et Matthieu Mauriès, berger, chevrier et éleveur
de chiens de montagne des Pyrénées. Le récit
qu'il donne sur Facebook de sa vie dans les
Pyrénées et les photos de ses chiens au travail

présentent la réalité de la vie rurale : parfois belle, parfois émouvante et toujours éreintante – certaines choses n'ont pas changé au fil des siècles.

Citons deux sources dont je me suis beaucoup inspirée :
Le Montagne de Pyrénées – Matthieu Mauriès disponible sur le site *Hogan des Vents*
Le Bon Berger : Le Vray Regime Et Gouvernement Des Bergers Et Bergeres – Jehan de Brie également disponible en français moderne

Quand j'ai demandé à mes lecteurs quelle histoire ils aimeraient lire dans le monde de ma saga *Les Troubadours*, au XIIe siècle, la première suggestion qui m'a paru évidente a été celle de Nici. De nombreux lecteurs m'ont dit que Nici, le chien de montagne des Pyrénées, était leur personnage préféré. Son rôle dans les aventures d'Estela et Dragonetz est crucial, malgré le peu de lignes qui lui sont consacrées. Ce fut donc un plaisir de me glisser dans la peau d'un chien pour donner à Nici le récit qu'il mérite.

Ayant moi-même été choisie par six chiens de montagne des Pyrénées en quarante ans, je connais et j'aime cette race formidable. Quand j'ai écrit *Toujours à tes côtés*, je n'ai pas eu de mal à prendre la voix de Sirius, qui raconte le dressage canin du point de vue du chien. On pourrait dire que je ne suis jamais vraiment redevenue humaine. Mais *Nici garde ses moutons* exigeait des connaissances sur le métier de berger au Moyen-Âge autant que sur les chiens. Je me suis donc attelée aux recherches.

Grâce à Matthieu Mauriès et d'autres éleveurs contemporains de chiens de montagne des Pyrénées, je maîtrise mieux l'usage actuel et le dressage des chiens de protection. La récente réintroduction des loups et des ours dans le Sud de la France a conduit à de violentes disputes entre les écologistes et les agriculteurs. En conséquence, de plus en plus de fermiers font appel aux chiens de garde, notamment les chiens de montagne des Pyrénées. Cela fait quinze ans que j'habite dans la Drôme provençale rurale et j'ai vu des panneaux apparaître sur les terres agricoles, expliquant aux promeneurs comment se comporter en présence d'un *patou* (le surnom du chien de montagne des Pyrénées, dérivé du nom plus ancien de *pastou*).

De nombreuses vidéos sur Youtube illustrent le courage de ces chiens face aux ours, aux loups ou à tout autre prédateur. Il est évident qu'un seul chien ne peut pas être suffisamment efficace. Si vous voyez trois patous travailler ensemble contre une meute de loups, vous admirerez leur intelligence, leur vision nocturne, leur collaboration et leur cran pur et simple. Pourtant, pour des raisons économiques ou par ignorance, on laisse souvent de jeunes chiens seuls pour protéger les troupeaux, à l'image de Nici.

Armée d'une meilleure compréhension du travail du patou et de son dressage moderne, j'ai effectué des recherches pour découvrir les différences avec l'époque médiévale et j'ai eu la bonne surprise de trouver un traité sur le métier de berger, écrit par un berger français du Moyen-Âge, Jehan de Brie. Je me suis fiée à Jehan pour les détails, mais je regrette d'avoir été contrainte par les priorités de l'intrigue à omettre tous les fabuleux détails sur les maladies des moutons et les traitements, ainsi que le récit hilarant de sa carrière, comme la fois où il a laissé les porcs s'enfuir ou les mois qu'il a passés cloué au lit après avoir reçu un coup de sabot de vache. En revanche, j'en ai fait de merveilleux monologues au petit-déjeuner, assommant mon mari par le récit des dernières péripéties de Jehan. Même si Jehan a vécu au XIVe siècle et non au XIIe siècle, dans le Nord de la France plutôt qu'en Occitanie, le métier de berger n'a pas changé tant que cela et l'authenticité du récit m'a donné matière à établir la toile de fond de mon histoire.

Alors, en quoi le métier de berger au Moyen-Âge différait-il de notre époque ? Ma première surprise fut de constater qu'apparemment, les chiens de troupeau n'existaient pas. Les border collies n'existaient pas en tant que race. Un berger avait un mastiff pour protéger son troupeau, et les méthodes de dressage employées avec Nici correspondent à celles que Jehan recommande, même si je pense qu'elles ne seraient pas très efficaces avec un chien de montagne des Pyrénées. Toutefois, l'instinct de protection de ces chiens envers les bêtes ou les hommes auxquels ils sont attachés est si fort qu'ils travailleraient correctement même sans dressage.

Dans le tome 4 des *Troubadours*, je mentionne les chiens de troupeau Pembroke, mieux connus aujourd'hui sous le nom de Corgis Pembroke. Cette race existait bel et bien au XIIe siècle et il s'agit d'une race de chiens de berger. Selon ma théorie, quelques fermiers ont découvert les talents de ces chiens et les ont exploités pour les troupeaux de vaches ou de moutons. Cette pratique a peut-être commencé à Pembroke, un petit comté du Pays de Galles – qui sait ? Jusqu'à présent, je n'ai trouvé aucune confirmation et les border collies n'apparaissent que plusieurs siècles plus tard.

À la place des chiens de troupeau, on faisait appel aux enfants. Les bergers et bergères en herbe couraient à côté du troupeau et dormaient même dans les champs. On ne manquait pas de main-d'œuvre pour ces tâches ingrates à moindre coût. L'enfance était une période d'apprentissage et un garçon comme Musca aurait appris le maniement de l'arc à l'âge de sept ans et il aurait suivi une formation d'écuyer, puis de chevalier. Quand il parle, il mêle la langue formelle des adultes à sa compréhension d'enfant, ce qui me semble convenir à un fils de la noblesse, surtout quand il fait un effort d'élocution. Les exemples ne manquent pas d'enfants de l'aristocratie adoptant un style d'écriture d'adulte, dans des textes parfois accompagnés d'un dessin plus approprié à leur âge.

Dans son traité, Jehan aborde aussi la nature sacrée du métier de berger et il cite fréquemment les Saintes Écritures, fier d'être berger. Dans la chrétienté médiévale, ce métier était considéré comme une vocation très respectable. Ce n'est donc pas un hasard si le nom de *pastor* (berger) désigne aussi le pasteur chrétien, responsable de son troupeau métaphorique.

La notion de « bon berger » avait une connotation spirituelle et symbolique, reconnue par les paysans comme par les seigneurs. De même, un « mauvais berger » était pire que n'importe quel autre travailleur médiocre. Le vol de moutons était un crime odieux, non seulement parce qu'il s'agissait d'un vol, mais aussi parce que c'était une attaque contre un berger. Malabric, le mauvais berger de mon histoire, est puni tel que décrit dans *Second Shepherds' Play* du *Wakefield Miracle Cycle*, qui compte parmi mes ouvrages favoris. À l'université, nous nous sommes demandé lors d'un débat passionnant si jeter un coupable de vol de mouton dans les airs sur une couverture constituait une punition légère. Imaginez-vous une minute être jeté de la sorte par des hommes en colère, dans un contexte médiéval où les soins médicaux et chirurgicaux étaient rares. Personnellement, j'en conclus qu'il ne s'agit pas d'une « punition légère ».

Le traité de Jehan de Brie est écrit pour les bergers et bergères. Toutefois, même s'il y avait de vraies bergères, leur vie était largement idéalisée comme en témoignent les déguisements de la reine Marie-Anoinette au

Petit Trianon. Dans la littérature classique, il existe une tradition pastorale, remise au goût du jour à l'époque de Shakespeare jusqu'à l'apogée des idylles rurales aux XVIIIe et XIXe siècles. Dans l'art et la littérature, les bergères, chevrières ou laitières sont dépeintes avec sensualité et nostalgie, en train de batifoler avec les hommes pendant que Pan joue de la flûte, dans un « retour à la nature » qui ne tient pas compte des réalités du métier.

Je voulais montrer ce que fait réellement le berger. Le portrait chrétien du berger médiéval manque de sentimentalité tout en conservant cette idée de noble vocation dérivée de la Bible. Pastor Jehan a hérité une grande part de sa personnalité et de ses tâches quotidiennes de Jehan de Brie. Nici raconte la notion médiévale du métier de berger, du point de vue d'un chien. J'ai utilisé l'ancien mot de *pastou* au lieu de *patou* pour désigner le chien de montagne des Pyrénées au XIIe siècle. La racine de ce surnom, avec *pastor* et *pastoral*, associe le rôle du chien protecteur à celui de son maître berger.

Nici aura apporté toutes ces compétences et ses expériences à sa vie avec Estela. Moi qui ai été traitée comme un mouton par mes propres patous, je connais parfaitement ce mélange d'amour et de mépris avec lequel ils jugent les ordres que vous leur donnez. Je sais aussi que chacun d'eux m'aurait défendue jusqu'à la mort, sans la moindre hésitation.

Je suis convaincue que Nici est l'ancêtre de

Sirius, le chien de montagne des Pyrénées dans *Toujours à tes côtés*, qui essaie lui aussi de comprendre les humains et de faire son travail, dans le contexte difficile de la vie moderne. J'espère que la lecture de *Nici garde ses moutons* vous a fait voyager au XIIe siècle, loin de la vie moderne, et que vous avez pu vous asseoir sur une colline française en compagnie d'un chien et de son troupeau de moutons, à manger du pain et du fromage avec un verre de vin. C'est ce que j'aime le plus au monde.

Je suis une écrivaine et une photographe galloise. Je vis dans le sud de la France avec un gros chien blanc, un chien noir hirsute, un Nikon D700 et un homme. J'ai enseigné l'anglais au Pays de Galles pendant de nombreuses années et ma grande gloire, c'est d'avoir été la première femme proviseure d'école secondaire du comté de Carmarthenshire. Je suis la mère et la belle-mère de cinq enfants... ma vie ne manque pas d'animation !

J'ai publié toutes sortes de livres, à la fois par des maisons d'édition traditionnelles ainsi qu'en auto-édition. Vous trouverez toutes mes publications sous mon nom : poésie et romans primés, histoire militaire, traduction d'ouvrages sur l'éducation canine, et même un livre de recettes sur le fromage de chèvre. Mon travail avec l'éducateur canin de renom Michel Hasbrouck m'a immergée dans le monde des chiens à problèmes et m'a inspiré l'un de mes romans. Née en Angleterre de parents écossais et résidant en France, j'ai la chance d'avoir une équipe gagnante à encourager dans la majeure partie des rencontres sportives.

« *Convaincant, captivant, mémorable.* »
LELA MICHAEL, *S.P. REVIEW*

Chant de l'Aube

1150: NARBONNE

JEAN GILL

Lauréat du Global Ebooks Award dans la catégorie Meilleure Fiction Historique

« *Convaincant, captivant, mémorable* » – Lela Michael, *S.P.Review*

« *Chant de l'aube mêle romance historique, intrigue et aventure dans un récit qui ravit le cœur et l'imagination.* » – Autumn Birt, *Born of Water*

« *Jean Gill est une experte en intrigue historique.* » – C.M.T. Stibbe, *Chasing Pharoahs*

« *Dès que j'ai terminé ce tome, j'ai brûlé d'impatience de découvrir le suivant. J'ai hâte de lire d'autres livres de cette auteure extrêmement talentueuse.* » – Deb McEwan, *Beyond Death*

« *Un livre formidable ! L'histoire est tellement prenante avec ses intrigues politiques, ses ennemis armés d'arbalètes, son poison et ses incendies, ses potins croustillants parmi les dames de compagnie, et j'en passe !* » – Molly Gambiza, *A Woman's Weakness*

« *Ce roman a tout ce qu'il faut, de l'Histoire à l'amour.* » – Shirley McLain, *Dobyn's Chronicles*

Elle se réveilla avec une migraine lancinante, des crampes aux jambes et une étrange sensation de chaleur le long de son dos. La chaleur sembla bouger lorsqu'elle étira ses membres endoloris le long des bordures du fossé. Elle prit son temps avant d'ouvrir les paupières, alourdies par le manque de sommeil. Le soleil s'était levé depuis deux heures et elle s'éveilla avec la conscience douloureuse que le choix de ses quartiers de nuit lui avait été imposé.

— Je suis encore en vie. Je suis ici. Je ne suis personne, murmura-t-elle.

Elle se souvint qu'elle avait un plan, mais la fille qui avait élaboré ce plan était morte. Elle devait être morte et le rester. Alors, qui était-elle désormais ? Il lui fallait un nom.

Un grognement derrière elle attira son attention. La sensation de chaleur dans son dos, accompagnée d'une épaisse fourrure blanche et d'une odeur de laine mouillée, était aisément identifiable. La jeune fille repoussa la masse solide appartenant à un chien gigantesque, qui se déplaça suffisamment pour la laisser s'extirper du fossé où ils s'étaient blottis ensemble contre le bord. Elle le reconnut assez facilement, bien qu'elle n'ait pas la moindre idée du moment où il l'avait rejointe dans la terre. Un pique-assiette régulier avec les autres bâtards, qui portaient tous le nom de « Allez, ouste ! » ou pire. Mais celui-ci, impossible de ne pas le reconnaître. C'était l'un des chiens de montagne élevés pour garder les moutons, avec sa fourrure au poil blanc hirsute, bringé par endroits au dos et aux oreilles. Seulement, il n'y avait pas moyen de le faire rester avec le troupeau, peu importe ce que l'on essayait pour y parvenir. Il se rendait joyeusement aux champs, mais retournait au château à la moindre occasion. Peut-être avait-il pensé qu'elle était en route pour aller s'occuper des moutons et qu'il ferait bien de l'accompagner afin de ne rien rater.

— Bon à rien de chien, lança-t-elle avec un léger coup de pied dans sa direction. Pas fichu d'accomplir la seule tâche qu'on lui confie. Tout le monde dit que tu aimes trop les gens pour rester dans les champs avec les moutons. Eh bien, je vais t'apprendre quelque chose à propos des gens, sale bon à rien de bâtard. Personne ne veut de toi.

Elle sentit les larmes lui piquer les yeux et, d'un geste impatient, les essuya sur ses joues avec sa main boueuse.

— Si tu l'as cassée, tu vas sentir ma botte, crois-moi.

Elle s'agenouilla sur le bord du fossé pour

récupérer un objet entièrement enveloppé dans une bande de brocart.

Elle avait compté sur la nuit pour s'échapper, mais à l'heure qu'il était, les recherches avaient dû commencer. Si Gilles avait bien fait son travail, ils trouveraient ses restes ensanglantés avant d'avoir la moindre chance de la retrouver, bien vivante et en colère. S'il avait trop bien caché les indices, en revanche, ils risquaient de se lancer dans des recherches jusqu'à la retrouver pour de bon. Si les fausses pistes étaient trop flagrantes, alors cela ne cesserait jamais. Et elle ne reverrait plus jamais Gilles de sa vie. Elle frissonna, même si la journée promettait déjà la chaleur printanière caractéristique du sud. De toute façon, elle ne reverrait plus jamais Gilles, songea-t-elle. Il connaissait les risques aussi bien qu'elle. Et si cela devait être fait, alors elle était bien la fille de sa mère et elle ne l'oublierait jamais – « Jamais ! » dit-elle à voix haute – peu importe que l'on essaie de le lui faire oublier. Désormais, elle n'était plus une enfant, mais une jeune femme de seize printemps.

Tout autour d'elle, le soleil projetait de longues ombres sur les vignobles dénudés et des bourgeons faisaient leur apparition sur les souches des vignes encore vierges de feuilles. Telles des rangées de chats rabougris torturés sur des barbelés, les souches noueuses attendaient leur heure. Qu'elle était devenue morbide ces derniers mois ! L'hiver avait été trop long, en compagnie de personnes qui trouvaient amusant de discuter des méthodes de torture. Il valait mieux regarder vers l'avenir. D'ici quelques semaines, les vignes commenceraient à verdir et, deux mois plus tard, la croissance spectaculaire de l'été exploserait de toute part, mais pour l'instant, tout avait encore la couleur grise de l'hiver.

Il n'y avait pas de refuge dans les vignobles d'avril. La route s'étendait droit devant en direction de Narbonne et, derrière elle, retournait vers Carcassonne, criblée de nids-de-poule creusés par le rude hiver de 1149.

Le long de cette route unissant l'est et l'ouest, et sur la voie Domitienne ralliant le nord et le sud, circulait la sève de la région, le commerce et les traités, les mariages et les armées, les escortes envoyées par la vicomtesse de Narbonne et les meurtriers contre lesquels ils assuraient la protection. La jeune fille savait tout cela et pouvait dresser une liste d'au moins cinquante sorts pires que la mort, qui ne représentaient pas seulement une possibilité, mais une issue probable après une nuit passée dans un fossé. Ce qu'elle avait oublié, c'était que dès l'instant où elle s'était relevée dans ce paysage dégagé, à la lumière du jour, elle pouvait voir à des kilomètres à la ronde… et être vue.

Elle se retourna vers Carcassonne en se mordant la lèvre. Il était déjà trop tard. Elle n'aurait pas dû dormir dans un fossé sur le bas-côté de la route et elle s'en remémora la raison principale en même temps que lui parvenait le fracas de nombreux souliers, accompagnés de chariots à en juger par le bruit. Le réveil et la marche seraient probablement plus dangereux encore que le sommeil, et cela commençait déjà.

La jeune fille se tint bien droite, épousseta sa jupe pleine de boue et serra fort son paquet de brocart contre sa poitrine. Elle savait que suivre l'instinct qui la poussait à s'enfuir en courant ne servirait à rien face aux mercenaires sauvages ou, dans le meilleur des cas, aux marchands suspicieux qui se dirigeaient assurément dans sa direction. Elle était chanceuse d'avoir passé une nuit paisible – tout du moins, c'était l'impression que la nuit lui avait laissée en comparaison avec la sombre perspective qui l'attendait. Quelle idiote elle avait été en se jetant d'un danger vers un autre, oubliant les règles élémentaires de la survie sur la route. Courir ferait d'elle une proie et elle chercha désespérément une alternative. Dans sa tenue ordinaire, débraillée et sale, elle était aussi invisible qu'elle pouvait souhaiter l'être. Aucun voleur ne se retournerait sur son passage ni ne songerait qu'elle avait une bourse à dérober, et encore moins une rançon chez elle. Aucune raison de la déranger.

Ce qu'elle ne pouvait dissimuler, en revanche, ordinaire ou non, c'était qu'elle était une femme, jeune et seule, de surcroît. Elle en avait appris les conséquences à la manière forte, à l'âge de cinq ans, lorsqu'elle avait suivi un chat dans la forêt. Non qu'il se soit produit quoi que ce soit dans la forêt, où elle avait perdu de vue le chat pour apercevoir la courte queue blanche d'un lapin disparaître derrière un arbre, comme elle avait tenté de l'expliquer à son père lorsqu'il l'avait trouvée. Sa main de fer avait coupé court à ses mots, afin de lui apprendre à obéir dans son propre intérêt, ponctuée d'une description détaillée des horreurs auxquelles elle avait échappé.

Tout ce qui ne s'était pas passé dans les taches de lumière, sur les brindilles craquant sous la voûte de feuilles et d'aiguilles vertes, venait hanter ses cauchemars. Les visages balafrés et les rires lui donnaient la chair de poule alors qu'elle courait se cacher pour finir par être toujours découverte. Jusqu'alors, elle avait obéi, et cela n'avait pas servi ses intérêts. Quelle idiote elle avait été ! Mais c'était fini, désormais elle prendrait ses jambes à son cou et elle se cacherait. On ne la découvrirait pas.

Elle se redressa de toute sa hauteur. Non, mauvaise idée. Au lieu de cela, elle s'avachit, se rendant aussi quelconque que possible, et chercha de la main, à travers la fente de sa robe, juste en dessous de sa hanche droite, son autre option au cas où une langue trop bien pendue viendrait à son aide. Le manche s'ajusta dans sa main et ses doigts s'enroulèrent autour, rassurés. Le poignard était bien en sécurité dans son fourreau, soigneusement attaché à son jupon avec les liens de calicot qu'elle avait laborieusement cousus dans le tissu à la lueur secrète des bougies. Elle faisait pleinement confiance à sa lame, consciente du soin minutieux que son frère accordait à ses armes. Quant à sa capacité à l'utiliser, seule l'occasion pourrait en être juge. Et après cela, ce serait Dieu, d'une façon ou d'une autre.

À présent, le tintement des harnais et le bruit sourd des sabots en approche étaient si retentissants qu'elle entendait à peine le léger grognement à ses côtés. Le chien se tenait sur ses pattes, prêt à affronter le danger. Il rejeta la tête en arrière, laissant monter l'aboiement profond de ceux de sa race face au loup. La jeune fille se signa et le premier cheval fit son apparition.

Dragonetz évalua leur progression. Cela faisait sept jours qu'ils étaient partis de Poitiers et qu'ils se trouvaient sur la route, et nombre d'entre eux avaient protesté contre cet empressement indigne. Un tel cortège de palanquins, chariots et chevaux était contraint de voyager lentement, et pourtant ils avaient réduit à la plus grande simplicité leurs escales de nuit, se reposant à l'abbaye auprès de vassaux loyaux et renforçant ainsi leurs liens. À l'exception de Toulouse, bien entendu, où Aliénor avait insisté pour une « visite de courtoisie », avec un sourire aussi poli que celui d'un chien montrant les crocs. Il lui avait fallu user de toute sa diplomatie pour la convaincre de ne pas ordonner à son messager d'annoncer la « Comtesse de Toulouse » parmi ses nombreux titres de noblesse, mais elle avait trouvé un millier d'autres façons de rappeler au jeune comte qui elle était.

Cela n'était pas chose aisée d'être au service d'Aliénor, reine de France, mais il lui concéderait bien cela : on ne s'ennuyait jamais. Dieu merci, elle avait décidé d'insulter Toulouse par la brièveté de son séjour. Dans le cas contraire, il n'aurait pas pu être tenu responsable des victimes qui en auraient découlé. Encore deux jours de voyage et ils se trouveraient à Narbonne en sécurité avec Ermengarda. Il pourrait alors relâcher sa vigilance pour se contenter de la surveillance habituelle, continuellement à l'affût du moindre mouvement à proximité d'Aliénor.

Il prit conscience de l'effervescence derrière lui, des roues qui s'arrêtaient, des voix qui s'élevaient, et il ralentit, mettant presque son cheval à l'arrêt, dans l'attente de la voix impérieuse qui ne manquerait pas de retentir. Aliénor s'était lassée du palanquin. Juchée sur son palefroi favori, elle s'arrêta à ses côtés. Il inclina la tête.

— Ma Dame.

Elle avait beau être reine de France, il avait juré fidélité à l'Aquitaine et à son duché à l'instar de tous les natifs de cette région. La France n'occupait que la deuxième place.

— Divertissez-moi, ordonna-t-elle à son

compagnon, faisant tournoyer ses boucles d'oreille en perle.

L'idée que se faisait la reine d'une tenue simple pour voyager consistait peut-être à un bracelet de moins, une teinte légèrement moins rouge sur son visage délicatement maquillé et un diadème de substitution orné de pierres précieuses, mais elle ne faisait guère d'autres compromis. La fourrure venant border sa robe aurait pu être échangée contre une armée de mercenaires. C'était tout à fait normal, lui aurait-elle répondu s'il avait émis un doute quant à la sagesse de faire étalage de son statut sur la route. Elle avait peut-être été trop gâtée dans son enfance, mais on lui avait inculqué qu'un duc d'Aquitaine se devait d'imposer le respect aussi bien en se pavanant et faisant état de ses largesses que par une poigne de fer. Elle avait bien appris la leçon. En Aquitaine, on l'adorait. La France, cependant, était un tout autre pays et l'on y faisait les choses différemment.

— Un beau jour, commença-t-il, une jolie dame aux cheveux d'un roux doré, montée sur un palefroi blanc entre Carcassonne et Narbonne, inconsciente du danger qui la guettait plus loin sur la route…

Elle rit. Les perles de son diadème brillaient, ses boucles d'oreille assorties dansaient. Quelques cheveux d'un roux doré s'échappèrent de leur filet et de leurs rouleaux sous son voile. Chez Aliénor, tout n'était qu'envie d'action.

— Nous avons voyagé sur des routes bien plus dangereuses que celle-ci, mon ami.

Elle faisait référence à leur expédition deux ans plus tôt, lorsqu'ils avaient pris la croix et la route de Damas, chemin pavé de bonnes intentions, mais qui avait terminé en enfer aussi assurément qu'ils auraient pu l'imaginer. Une croisade lancée dans l'enthousiasme et achevée dans la honte. Ils avaient tous les deux une bonne raison d'enterrer ce qu'ils avaient vécu ensemble et il ne répondit rien.

Elle reprit :

— N'aimeriez-vous pas avoir affaire à des monstres, des dragons et des ogres plutôt qu'à Toulouse et ses nourrices ?

Son sourire s'assombrit de nouveau.

— Ou à ces vautours de Francs, abattant sur moi leur piété chrétienne ? Savez-vous comment je trouve Paris ? Noire, blanche et grise, les cieux du nord, les habits ternes, les esprits mornes. Toute la couleur s'évapore de ma vie, mois après mois, et je ne peux pas continuer ainsi.

— Il le faut, ma Dame. C'est votre droit de naissance et votre malédiction. Vous le savez.

— Je ne peux exercer mon droit de naissance alors que je suis reléguée à la broderie et à l'art des jardins. Cela m'est insupportable.

— Le pouvoir ne clame pas toujours sa présence, ma Dame, et chacun des deux cents hommes armés derrière vous sur cette route en représente un millier de plus, prêts à mourir sous vos ordres. Chaque mot que vous prononcez porte le poids de ces hommes.

— Dites cela à mon époux, le moine ! fut sa réponse amère.

Son compagnon était suffisamment avisé pour ne pas répondre à une telle trahison, surtout de la bouche d'une épouse.

— Oh, comme je rêve d'être enfin libre du sac et de la cendre, de pouvoir écouter le son du luth sans avoir à pincer les lèvres, de ne plus devoir écouter Clairvaux, ce religieux décharné qui invoque le châtiment de Dieu face aux actes de Satan.

— Clairvaux, fit son compagnon d'un ton songeur. Bernard de Clairvaux, je me demande bien quelle était cette histoire à son sujet. Non, je ne dois pas la mentionner, pas devant une dame.

— Oh, mais vous le devez, mon ami espiègle, c'est exactement ce dont j'ai besoin, des rumeurs. Plus elles sont viles, mieux c'est.

— De viles rumeurs ? À propos du saint Clairvaux ? Comment cela pourrait-il être possible ? De toute façon, c'est une vieille histoire, vous l'avez certainement déjà entendue auparavant, la taquina-t-il.

— Je souhaite l'entendre de nouveau, lui ordonna-t-elle.

— Comme ma Dame voudra. Mais ne rejetez pas la faute sur moi si vous faites des cauchemars.

— Je fais déjà des cauchemars. Et Clairvaux

est le moindre d'entre eux, maudit soit son derrière d'oie pelée.

— Vous avez volé la meilleure partie de mon récit, ma Dame, qui concerne en effet son derrière d'oie pelée.

— Racontez-la tout de même.

— Un jour…

Elle lui coupa la parole :

— Pas de farces de troubadours. Ne rendez pas cette fripouille romanesque. Il ne le mérite pas.

— Eh bien, donc, même Bernard de Clairvaux a un beau jour été un jeune homme, et son corps était souple, musclé, ferme, hâlé et…

— Un peu de décence !

— Vous préférez que j'omette certains détails du corps d'un jeune homme ? Je venais à peine de commencer.

— La seule partie ferme du corps de cet homme, ce sont ses genoux, car il se repose constamment sur eux. Et cela a toujours été le cas, peu importe son âge. Non, je ne souhaite pas écouter de description le concernant en tant que beau jeune homme. La suite de l'histoire, je vous prie.

— Il me faudra mentionner une certaine partie de l'anatomie de ce jeune homme, ma Dame, car c'est là l'origine de toute cette histoire et du problème, du point de vue de Bernard. Il s'était arrêté dans une auberge et fut servi par une jeune et jolie servante, la peau aussi diaphane que de la dentelle, les cheveux aussi dorés que…

— Oui, oui, une jolie fille. Continuez !

— … et le pauvre Bernard découvrit qu'une certaine partie de son anatomie préférait suivre sa propre volonté plutôt que celle de Dieu. Horrifié par cette droiture inappropriée dans la seule situation où il eût préféré être moins rigide, il se précipita hors de l'auberge comme s'il était possédé par un démon, déchira ses vêtements et se jeta dans l'eau glacée de la fontaine du village, mettant fin à la sédition de son corps tremblant saisi de frissons. Ainsi se termine le seul moment où Bernard de Clairvaux se demanda quelle serait la sensation d'un corps chaud contre le sien. Dorénavant, son corps serait gouverné par un régime austère.

— Cela n'est pas vrai, dit Aliénor à regret. Il n'a jamais retiré ses vêtements.

— Ma Dame, comment pouvez-vous remettre en cause ma parole ?

— Votre parole en tant que chevalier ou votre parole en tant que troubadour, conteur de récits scandaleux ?

— La seconde, ma Dame, consentit-il en soupirant. Mais ne trouvez-vous pas que cela dresse un portrait ma foi satisfaisant : le moine nu et tremblant dans la fontaine ?

— Trait pour trait, acquiesça-t-elle, mais je ne suis pas Bernard de Clairvaux et par moments je me demande, moi aussi, ce que cela ferait de ressentir une chaleur humaine contre mon propre corps.

Si c'était une invitation, rien ne laissait paraître qu'il l'avait prise pour telle et elle en revint au sujet plus croustillant.

— Et avez-vous entendu l'autre histoire, où il se précipita dans la rue, hurlant que quelqu'un voulait le détrousser… ?

— … or c'était un pécheur qui en avait après sa virginité !

— Ce devait être un pécheur aveugle et bien désespéré !

Par-dessus son épaule, Aliénor s'adressa aux quatre dames d'honneur qui se tenaient à une distance respectable.

— Mes Dames, venez vous joindre à nous. Nous rabaissons un sinistre personnage. Plus on est de fous, plus on rit.

Alors que les autres chevaux se bousculaient pour tourner autour de la Reine, l'attention de son compagnon se porta sur la route devant eux où un léger mouvement prit la forme, à n'en pas douter, d'une silhouette humaine.

— Messire ?

L'alerte fut donnée par l'un de ses hommes en première ligne.

Il avait perdu son sourire lorsqu'il ordonna :

— Ma Dame, vous devez vous rabattre avec vos dames. Tenez-vous au milieu. Aucune personne saine d'esprit ne cheminerait seule sur cette route. Il y a certainement un piège plus loin.

Il avançait déjà, distribuant des ordres sur son passage et rejoignant son avant-garde triée sur le volet. Un coup d'œil dans son dos lui apprit avec satisfaction qu'Aliénor avait déjà disparu au milieu d'un épais bouclier d'hommes armés.

Les épées tirées, les rênes serrées dans la main, ils s'approchèrent de la silhouette solitaire sur le bord de la route, qui semblait rapetisser à mesure qu'ils avançaient.

— C'est une femme, mon Seigneur, s'exclama son second.

— Soyez sur vos gardes, Danton, une femme peut avoir une bande d'assassins sous la main aussi bien qu'un homme.

Mais il y avait aussi peu de chance de cacher des hommes dans les vignobles alentour, à ciel ouvert, que derrière une taupinière. Il rangea son épée et le signal fut transmis derrière eux dans une vague de soulagement.

Le commandant s'arrêta auprès de la jeune fille qui se tenait parfaitement immobile. À ses côtés, un chien imposant grognait de façon agressive. La procession tout entière s'immobilisa derrière son chef et Danton sauta de sa selle, l'épée tirée, le regard fixé sur le chien.

— Non, s'exclama la jeune fille par réflexe.

Elle s'avança, interposant un bras téméraire entre l'épée de Danton et le chien qui grognait. Son autre bras tenait fermement une sorte de gros paquet contre sa poitrine.

— Non, accepta le commandant sans quitter la fille des yeux. Danton, je pense que le cabot apprécierait d'avoir un peu d'espace pendant que nous délibérons pour savoir si nous lui trancherons la gorge ou non.

Danton recula, mais conserva son épée sous la main. Il était évident pour tout le monde que son chef ne parlait pas que du chien.

— Voyez-vous, dit-il tout en douceur, nous ne pouvons pas être certains que vous n'allez pas vous enfuir à travers champs, puis nous dépasser et préparer vos amis malfaiteurs à nous couper la tête et dérober nos biens. Et nous ne pouvons pas laisser une telle chose se produire.

La jeune fille le regarda, abasourdie.

— Mais, il n'y a que moi !

Des yeux couleur topaze, comme ceux des léopards à Alexandrie, des ombres vertes et des abysses boueux, des étincelles alors qu'il ne devrait se trouver que de la peur. Des yeux topaze et des cheveux noirs, aussi soyeux que les tentes des armées mauresques. La peau d'olive comme une esclave, lisse et parfaite, sans aucune marque. Ses habits évoquaient une servante, mais pas le feu qui brûlait dans son regard.

D'une voix encore plus basse, il lui dit :

— Nous ne pouvons pas prendre un tel risque, ce qui ne laisse que deux possibilités.

Elle ne bougea pas, mais il aperçut le

mouvement de sa gorge gracile lorsqu'elle déglutit.

— Ou bien Danton, ici présent, est autorisé à exercer son devoir et faire usage de son épée…

Elle ne flancha pas, ne parla pas. Intéressant. Le courage physique associé au bon sens de ne pas le provoquer.

— … Ou nous nous verrons contraints à vous inviter à vous joindre à nous.

Fronçait-elle les sourcils ? Décidément, il y avait là un mystère à percer.

— Mais que se passe-t-il donc ?

À cheval, Aliénor s'avança à côté du commandant.

— Pouvons-nous continuer notre route ?

— Nous le pouvons, ma Dame, dès que vous m'aurez dit si je dois passer cette servante au fil de l'épée ou l'entasser avec le reste de nos bagages.

Le temps d'un battement de cœur, il songea qu'il avait mal jugé sa reine et que son côté sauvage l'emporterait sur son humanité. Aliénor dévisagea la fille. Après une pause insoutenable comme une centaine de coups de couteau, Aliénor déclara, sur un ton qui forçait le respect, rappelant à chacun pourquoi ils la suivaient :

— Elle cache quelque chose. Des habits de servante tout crottés, seule au bord d'un fossé sur la route la plus fréquentée d'Occitanie… Qui es-tu et que fais-tu ici ?

La fille baissa le regard, mais ne dit rien.

— Non ! Ne la frappez pas, s'exclamèrent en

même temps le commandant et Aliénor afin d'éviter que Danton ne la corrige pour ce qu'il estimait une preuve d'insolence envers la reine.

— Si l'on vous demande de la frapper, vous devrez vous occuper du chien en premier, pas en second, je crois que vous en conviendrez, ajouta le commandant sans qu'il soit nécessaire de le préciser, alors que le chien mordait dans le vide, à l'endroit où Danton avait bien failli se trouver.

— Tout à fait, renchérit Aliénor, son regard impitoyable au même niveau que la fille. Comme tu peux le voir, il est dangereux de m'ignorer, et cela indique une certaine culpabilité. Qu'y a-t-il dans ce paquet ?

— Mes possessions, murmura la jeune fille.

— Eh bien, ce n'était pas si difficile à dire, n'est-ce pas ?

Aliénor plissa les yeux.

— Maintenant, ouvre-le, lui ordonna-t-elle.

La fille hésita et la voix d'Aliénor se fit plus sévère encore :

— Ouvre-le toi-même, sinon Danton tue le chien, ce qu'il est parfaitement disposé à faire. Puis nous l'ouvrirons de force pendant que tu seras très brutalement retenue par les bras. Et ensuite, ce sera pire encore. Me suis-je bien fait comprendre ?

En guise de réponse, la fille déposa le brocart sur la pierre brute. Lorsqu'elle s'abaissa, ses cheveux se dégagèrent de son cou et le commandant revint sur sa première impression. Sa peau n'était pas dénuée de défauts : une blessure mal cicatrisée balafrait la peau claire de son épaule gauche. D'après son œil aguerri, c'était une blessure intentionnelle, faite par le fouet plutôt que par la lame. Avec délicatesse, elle déballa son objet précieux, le dévoilant sur le brocart déployé.

L'instrument de musique ainsi révélé était en bois rougeâtre, tellement poli que la silhouette de la fille se reflétait faiblement dans la caisse profonde en forme de poire. Trois cercles d'émail incrusté aux tons crème venaient marquer le bois, chacun orné d'arabesques et de points entrelacés. Huit cordes, des frettes, un chevillier incliné pour l'accorder.

— Al-Oud, fit-il dans un souffle.

Elle semblait perplexe :

— C'est une mandore.

— Volée, manifestement.

L'une des dames de compagnie s'était avancée. À première vue, elle n'était pas moins éblouissante que sa maîtresse, mais là où la parure d'Aliénor ne servait qu'à mettre en valeur la reine elle-même, cette dame semblait diminuée par ses attributs. Son visage maquillé avait l'air d'un masque, ses froufrous en fourrure étaient trop imposants, comme pour compenser une qualité inférieure, ses boucles d'oreille en pierres précieuses trop brillantes, une simple copie pour des yeux avisés.

— Coupez-lui la main, qu'on en finisse.

— Quel a été votre raisonnement pour

arriver à cette conclusion ? demanda Aliénor à voix basse.

Personne ne remit en question sa volonté de la juger et, si tel était le verdict, que le châtiment soit celui qui avait été proposé. Personne ne doutait que la main de la fille soit le prix à payer pour son larcin. D'aucuns auraient trouvé cette punition clémente, car un tel instrument était un véritable trésor. S'ils n'étaient pas en plein voyage, la jeune fille aurait servi d'exemple, elle aurait pu être enfermée dans une cage, puis torturée par l'assistance avant l'étape suivante, une mort longue et lente. Personne ici n'aurait tressailli face à une telle nécessité, bien que certains l'eussent appréciée plus que d'autres. Cependant, ils étaient sur la route et il n'y avait pas de temps pour une telle réflexion.

— Ma Dame, comment une servante aurait-elle pu mettre la main sur une chose aussi précieuse, sauf par un acte malhonnête ? C'est visiblement une servante, à en juger par ses atours. Et une seule raison me vient à l'esprit quand je me demande ce que fait une femme seule sur cette route ! Je pense qu'elle a volé cet instrument et s'est enfuie, offrant son cul en attendant de vendre ses autres biens sur le marché. Elle n'a même pas été capable de vous dire son nom, ma Dame ! De quelle autre preuve de culpabilité pourriez-vous bien avoir besoin ?

Les yeux de la fille s'embrasèrent, mais elle se contenta de ramasser la mandore et de la serrer contre son cœur. Le regard d'Aliénor rencontra celui de son commandant alors que les doigts de la main gauche de la jeune fille trouvaient leur place naturelle sur les frettes. Elle porta l'instrument dans la position qu'ils avaient observée un millier de fois, dans toutes les salles de banquet du monde civilisé.

— La preuve est simple, déclara Aliénor. Si l'instrument t'appartient, joue quelque chose pour nous, jeune fille.

Au milieu des cliquetis et du piaffement des chevaux agités, des murmures des voyageurs impatients de passer leur chemin et des chants des oiseaux en ce romantique mois d'avril, la fille ferma les yeux. Elle fit vibrer les cordes, accorda le chevillier et se racla la gorge. Puis elle chanta un arpège. La douceur des simples *ut ré mi fa sol la* était déjà prometteuse, mais lorsqu'elle ouvrit les paupières et ajusta sa voix au son des cordes dans une harmonie parfaite, tout le monde se tut. Les célèbres paroles de l'Aubade, la Chanson de l'Aube, flottèrent telles des fleurs de pommier dans la brise, et le chien s'allongea, en silence, aux pieds de la chanteuse.

Sur la couche auprès de sa blonde,
Le chevalier suspend ses lèvres.
'Ma mie, ma douce, qu'allons-nous faire ?
Le jour approche, la nuit s'enfuit
L'heure vient d'aller chacun son chemin
Toute une journée votre cœur loin du mien.
Si seulement l'aube ne poignait pas,
Si la nuit nous épargnait la peine
D'un nouvel adieu, de cette petite mort
Qui nous laisse assez pour mourir encore.

Le veilleur sonne l'heure de l'aube
Me mandant d'affronter le jour,
M'exilant vers un matin teinté
Du deuil de vous avoir quittée.
Où que j'aille, sachez ma mie,
Que repos jamais ne m'échoira
Sans l'étreinte amoureuse de vos bras.
Puissiez-vous aimer votre nuit davantage.
Ma mie, ma douce, qu'allons-nous faire ?
Le jour approche, la nuit s'enfuit
L'heure vient d'aller chacun son chemin
Toute une journée votre cœur loin du mien.'

Les dernières notes de la mandore restèrent suspendues dans les airs, plaintives, tandis que Danton rengainait son épée.

— Tu as répondu aux accusations de vol et je te juge innocente, déclara soudain Aliénor, rompant le charme par sa voix mesurée. Qu'as-tu donc à me dire, pour refuser de me donner ton nom ?

— J'ai bien un nom à vous donner, ma Dame. Mon nom de chanteuse est Estela de Matin.

— Alors, Estela de Matin ce sera. Un musicien de talent est toujours le bienvenu à ma cour, que ce soit un homme ou une femme. Si tu souhaites te joindre à nous, nous pourrons explorer à ta convenance les mystères qui t'entourent.

Si la fille aperçut la poigne de fer dissimulée sous le gant de cette « invitation », elle n'en laissa rien paraître et esquissa une révérence d'approbation avant de ranger son instrument dans son brocart.

— Qu'en pensez-vous ? demanda Aliénor au commandant.

— Jolie voix, mais creuse, fut son verdict. Il lui manque la maturité nécessaire à cette chanson.

— Qu'est-ce qui t'a poussée à choisir celle-ci, parmi toutes les chansons qui existent ? demanda Aliénor à la jeune fille qui avait baissé les yeux, cachant son visage empourpré.

Lorsqu'elle releva la tête, ce fut pour croiser le regard du commandant.

— J'aime cette chanson, répondit-elle simplement. C'est l'œuvre d'un véritable maître et elle m'a semblé appropriée. J'ai pensé que tout le monde la connaîtrait…

Sa voix faiblit.

— Tu as bien choisi, lui confia Aliénor. En effet, nous connaissons bien cette chanson, n'est-ce pas ?

— Parfaitement, ma Dame.

Le commandant s'excusa et ramena son cheval dans les rangs.

Un homme corpulent et barbu, aux cheveux noirs en bataille, s'avança sur sa monture :

— Ma Dame, on m'envoie pour la fille.

— Emmenez-la, Raoulf, et assurez-vous qu'elle soit à son aise.

Raoulf descendit de cheval et fit un pas vers Estela, mais le chien se leva aussitôt.

— Non, le chien, lui dit-elle. Pars ! Tu n'es pas mon chien ! Je ne veux pas de toi ! Va-t'en d'ici !

Le chien la regarda, mais il ne fit aucun mouvement. Elle s'approcha de Raoulf, qui la hissa sur sa selle avec sa mandore, aussi aisément qu'une poupée, avant de monter derrière elle. Une petite botte décocha un coup aux tibias d'Estela sur son passage, accompagnée d'un : « Je suis navrée » à mi-voix, qui respirait le poison et une forte odeur de musc. Estela se souviendrait longtemps de ce parfum, mais pour l'instant, c'était le dernier de ses soucis. Elle avait encore une question à résoudre avant de s'abandonner à la fatigue écrasante, aussi bien physique que mentale.

— Qui est votre commandant ? demanda-t-elle à Raoulf.

— Vous n'allez tout de même pas prétendre ne pas le savoir, fut sa réponse énigmatique.

— Je suis sincère, insista-t-elle.

— Dragonetz los Pros, bien entendu, déclarat-il comme si cela tombait sous le sens.

Et cela aurait dû.

— Je l'imaginais plus âgé, répondit-elle.

Dragonetz, le chevalier d'Aliénor, qui avait gagné son titre « los Pros », « le Vaillant », en tant que croisé, alors que bien d'autres étaient rentrés chez eux avec des surnoms tels que « culotte brune ». Dragonetz, le Maître Troubadour, le compositeur de la chanson qu'elle avait eu l'impudence d'entonner devant lui. Et quelles inepties elle avait sorties ! Il avait certainement pensé qu'elle l'avait fait exprès ! Ses joues la brûlaient et elle fut ravie quand on la déchargea comme un vulgaire sac de grains sur un simple matelas dans un chariot. Lorsque Raoulf la recouvrit d'un couvre-lit avec ses mains calleuses, lui suggérant de se reposer, elle répondit par réflexe :

— Merci, Gilles.

Et elle se laissa porter vers un sommeil profond par la cadence cahoteuse du chariot.

« Jean Gill a su saisir les pensées les plus intimes de ce magnifique animal. »
LES INGHAM,
PYR INTERNATIONAL

T🐾UJ🐾URS À TES CÔTÉS

Quand un chien suit son étoile...

JEAN GILL

Pour en savoir plus sur ma vie en France, découvrez *Qu'elle est bleue ma vallée* **(2016)** un roman autobiographique et humoristique sur ma première année en Provence, du point de vue d'une Galloise. Best-seller au Royaume-Uni.

« De grands éclats de rire… une description si saisissante des champs de lavande, des tournesols et des oliviers que vous vous y croiriez presque. » *Living France Magazine*

Le véritable parfum de la Provence ?

La lavande, le thym et la fosse septique.

Comment résister à un village appelé « Dieulefit », le village « où tout le monde se sent bien ». Plongez au cœur de la vraie Provence en agréable compagnie…

QU'ELLE EST *bleue* m a VALLÉE

La vraie Provence

JEAN GILL

Novels
Someone to Look Up To: a dog's search for love and understanding *(The 13th Sign)* 2016

Natural Forces
Book 2 Arrows Tipped with Honey *(The 13th Sign)* 2020
Book 1 Queen of the Warrior Bees *(The 13th Sign)* 2019

The Troubadours Quartet
Book 5 Nici's Christmas Tale: A Troubadours Short Story *(The 13th Sign)* 2018
Book 4 Song Hereafter *(The 13th Sign)* 2017
Book 3 Plaint for Provence *(The 13th Sign)* 2015
Book 2 Bladesong *(The 13th Sign)* 2015
Book 1 Song at Dawn *(The 13th Sign)* 2015

Love Heals
Book 2 More Than One Kind *(The 13th Sign)* 2016
Book 1 No Bed of Roses *(The 13th Sign)* 2016

Looking for Normal (teen fiction/fact)
Book 1 Left Out *(The 13th Sign)* 2017
Book 2 Fortune Kookie *(The 13th Sign)* 2017

Non-fiction/Memoir/Travel

How Blue is my Valley *(The 13th Sign)* 2016
A Small Cheese in Provence *(The 13th Sign)* 2016
Faithful through Hard Times *(The 13th Sign)* 2018
4.5 Years – war memoir by David Taylor *(The 13th Sign)* 2017

Short Stories and Poetry
One Sixth of a Gill *(The 13th Sign)* 2014
From Bedtime On *(The 13th Sign)* 2018 (2nd edition)
With Double Blade *(The 13th Sign)* 2018 (2nd edition)

Translation (from French)
The Last Love of Edith Piaf – Christie Laume *(Archipel)* 2014
A Pup in Your Life – Michel Hasbrouck 2008
Gentle Dog Training – Michel Hasbrouck *(Souvenir Press)* 2008

Printed in Great Britain
by Amazon